Demi Lovato

365 dias do ano

staying strong

Demi Lovato

365 dias do ano

staying strong

Tradução
Joana Faro

4ª edição

RIO DE JANEIRO | 2013

CIP-BRASIL. CATALOGAÇÃO NA PUBLICAÇÃO
SINDICATO NACIONAL DOS EDITORES DE LIVROS, RJ

L946d
4ª ed.

Lovato, Demi, 1992-
Demi Lovato: 365 dias por ano (Staying strong) / Demi Lovato; tradução: Joana Faro. – 4. ed. – Rio de Janeiro: Best*Seller*, 2013
il.

Tradução de: Staying Strong
Inclui apêndice
ISBN 978-85-7684-829-5

1. Lovato, Demi, 1992-. 2. Autoestima. 3. Técnicas de autoajuda. I. Título.

13-06187

CDD: 158.1
CDU: 159.947

Texto revisado segundo o novo Acordo Ortográfico da Língua Portuguesa.

Título original
STAYING STRONG

Capa adaptada da original norte-americana
Imagem de capa: Matthias Vrien-McGrath
Projeto gráfico adaptado do original de April Ward
Editoração eletrônica: Abreu's System

Direitos exclusivos de publicação em língua portuguesa para o Brasil
adquiridos pela
EDITORA BEST SELLER LTDA.
Rua Argentina, 171, parte, São Cristóvão
Rio de Janeiro, RJ – 20921-380
que se reserva a propriedade literária desta tradução

Impresso no Brasil

ISBN 978-85-7684-829-5

Seja um leitor preferencial Record.
Cadastre-se e receba informações sobre nossos lançamentos e nossas promoções.

Atendimento e venda direta ao leitor:
mdireto@record.com.br ou (21) 2585-2002

Para meus fãs

Introdução de
KATIE COURIC

Conheci a Demi durante um café da manhã no London Hotel, no verão de 2012. Sua carreira estava estourando. "Skyscraper" era um sucesso imenso, "Give Your Heart a Break" estava subindo nas paradas (e eventualmente chegaria ao 1º lugar), e faltavam poucos meses para ela ser escolhida como jurada do *X Factor* norte-americano, ao lado de Simon Cowell e Britney Spears.

Para uma garota que tinha acabado de completar 20 anos e ganhado fama como rainha adolescente da Disney, ela parecia nova demais para ser tão sábia. Mas ela encontrou vários obstáculos no caminho para o sucesso. Demi compartilhou suas dificuldades pessoais comigo, incluindo batalhas contra anorexia e bulimia, bullying, automutilação e distúrbio bipolar, e como esses desafios quase arruinaram sua carreira.

Como tenho duas filhas, fiquei muito grata por Demi ter usado suas experiências dolorosas para falar sinceramente com outras garotas e lhes dizer que a fama não necessariamente impede que as pessoas se sintam inseguras e duvidem de si mesmas. Ao abrir a cintilante cortina da celebridade e expor um lado extremamente humano, sei que Demi amenizou a solidão de muitas jovens que passam pelos mesmos problemas.

Pouco depois de conhecê-la, recebi Demi em meu programa de entrevistas. Como era de esperar, ela foi carismática e generosa. Sua disposição ao falar abertamente em público me inspirou a compartilhar minha própria experiência com um transtorno alimentar na juventude, algo que eu nunca tinha revelado. A honestidade de Demi me deixou segura para ser franca sobre meu próprio passado.

Demi tem uma relação única com os fãs. Eles a amam e ela também os ama. Ela nos ensinou que precisamos dar um tempo para nosso coração nos momentos difíceis e apreciar sem pressa a vista do arranha-céu quando estivermos nas alturas.

Mesmo que você tenha 16 anos ou, no meu caso, 56, vai aprender algo com a jornada e os conselhos de vida de Demi, e acabar amando-a ainda mais.

Querido leitor,

Passei por todo tipo de experiência na vida, e enfrentei problemas que foram do vício à depressão em uma constante busca por autoconhecimento e felicidade. Sempre haverá altos e baixos, decepções e vitórias, e tudo o que as acompanha. Então, às vezes as palavras mais banais podem fazer toda a diferença; podem reconfortar e podem inspirar.

Todos os dias eu medito e rezo para entrar em contato com o poder superior que existe dentro de mim. Seja qual for sua idade, origem, etnia ou religião, é vital ter um poder superior — algo maior para o que você possa se voltar em busca de conforto. Para mim, é Deus, mas pode ser qualquer coisa na qual você acredite, o universo, carma etc. Ainda que alguns dias sejam difíceis, é importante ter alguma coisa que nos motive, inspire e ajude a nos manter positivos e a seguir em frente.

Este livro é uma compilação de minhas próprias palavras e de frases que me inspiram, assim como de lições, meditações, reflexões e objetivos diários. Me ajudaram imensamente, e são uma dádiva especial e pessoal que quero compartilhar com todos vocês.

Em qualquer momento da sua vida, por favor, leia estas palavras e saiba que estarei sempre presente para você. Seja forte, seja corajoso, ame muito e de verdade, e você não terá nada a perder.

Com todo o meu amor,

365 dias do ano

staying strong

Janeiro

1 de janeiro

Você foi feita de modo lindo e maravilhoso.

Há algum tempo, cheguei à conclusão de que precisava de um mantra só meu. Algo pessoal e significativo que eu pudesse dizer a mim mesma para proporcionar conforto e amor, assim como me concentrar no momento presente. A Bíblia diz: "de um modo assombroso e tão maravilhoso fui feito"; então pensei em "você foi feita de modo lindo e maravilhoso". Digo isso a mim mesma toda hora, e saber que sou perfeita do jeito que sou e que não preciso de nada além do que tenho dentro de mim realmente me ajuda a encontrar a paz.

Objetivo: Para este novo ano, crie um mantra que seja só seu. Todos os dias, olhe-se no espelho e o repita para si mesmo.

2 de janeiro

O destino de alguém nunca é um lugar, mas uma nova forma de ver as coisas.

— HENRY MILLER

Tive a sorte de poder viajar muito nos últimos anos. Uma das coisas mais profundas que percebi durante minhas viagens foi como damos pouco valor ao que temos. Vi favelas onde as pessoas andam descalças e sem casaco no frio. Estive em lugares em que as pessoas trabalham pesado em funções exaustivas e ganham uma mixaria. Isso me ensinou o valor de cada pessoa deste planeta e a não achar que meu trabalho está garantido.

Objetivo: Esteja aberto a tudo e reserve um dia (ou uma semana) para ver uma nova parte do mundo. Se não puder tirar uma folga do trabalho, visite um bairro novo em sua própria cidade. Seja grato por tudo o que tem.

3 de janeiro

Toda vida tem um propósito. Se você compartilhar sua história, talvez ajude alguém a encontrar a própria.

Decidi ser honesta em relação às minhas dificuldades pessoais porque conversar sobre os problemas com os quais lidei ainda é um tabu. As pessoas não costumam ser abertas quando o assunto é automutilação, distúrbios alimentares, vícios ou transtornos de humor. Mas é muito importante que alguém comece a falar sobre essas questões para que aqueles em dificuldade saibam que existe ajuda. É minha função também ser uma luz no fim do túnel para o adolescente que não tem esperança alguma.

Objetivo: Defenda os que ainda não podem se defender. Dê a eles apoio e força.

4 de janeiro

Às vezes a vida é muito difícil, mas lutar contra a tristeza vale muito a pena. É melhor sentir todos os tipos de emoção do que não sentir nada.

Pensei nessa frase quando estava no funeral do meu pai, e ela me ajudou a passar por aquela experiência. Eu estava vivendo um turbilhão de emoções. No passado, eu ia beber, reprimir ou encontrar qualquer outra maneira de evitar a imensa dor que estava sentido. Muitas vezes, as pessoas escolhem atenuar a dor com substâncias químicas, mas é mais corajoso atravessar o fogo de olhos abertos. Em vez de me anestesiar com drogas, aceitei sentir todas as emoções que tive. Foi uma época difícil da minha vida, mas me permitir sentir a tristeza e o desespero ajudou a abrir caminho para celebrar a vida dele. Tornou possível começar a me curar de um jeito saudável e honesto.

Objetivo: Permita-se sentir o que mais tem evitado. Ligue para um amigo, seja vulnerável e compartilhe esse problema com ele.

5 de janeiro

Existem muitas almas lindas e talentosas neste mundo. Não deixe nada atrapalhar seu potencial.

Já conheci muita gente que disse que eu não podia fazer alguma coisa. Essas pessoas servem apenas para nos testar, e não podemos permitir que elas nos desanimem. Amigos de verdade nos botam para cima e acreditam em nós. Não deixe ninguém lhe dizer que seu sonho é impossível, porque se você não acreditar em si mesmo, ninguém mais acreditará.

Objetivo: Pense em uma coisa que você está evitando fazer e comece a fazê-la hoje. Seja destemido.

6 de janeiro

Exponha-se a seu medo mais profundo; depois disso, o medo não tem mais poder.

— JIM MORRISON

Quando era pequena, eu morria de medo de vomitar, depois acabei me tornando bulímica. De forma inconsciente, concretizei meu maior medo. Odiava tanto vomitar que causei isso a mim mesma.

Objetivo: Não viva seus medos, mas os liberte. Tente se lembrar de que existe um propósito para todas as dificuldades ou oportunidades de sua vida.

7 de janeiro

Mude seus pensamentos, mude sua vida.

— LAO-TSÉ

Quando eu estava lutando contra a depressão, lembro-me de ter ouvido essa expressão, e, a princípio, não a entendi. Quando decidi implementá-la em minha vida, um mundo completamente novo se abriu diante de mim. Troque seus pensamentos negativos e autodestrutivos por pensamentos positivos e autoafirmativos. Quando você é positivo em relação a si mesmo e a tudo à sua volta, começa a ver o mundo sob uma perspectiva diferente. Sua vida hoje é o que *você* faz dela.

Objetivo: Fique atento ao tom de seus pensamentos.

8 de janeiro

Você só precisa de amor.

— THE BEATLES, "ALL YOU NEED IS LOVE"

Essa simples letra contém muita verdade. Acima de tudo, o amor é a solução. Muitas vezes na vida já me senti perdida e desanimada, mas quando penso no amor que tenho por meus amigos, minha família e por minha própria vida, fico em paz.

Objetivo: Conte o que sente a todas as pessoas que ama. Diga com todas as letras, faça um bolo, escreva uma carta ou desenhe algo para elas. Não deixe que um amor tão grande quanto o seu passe despercebido quando tem tanto a oferecer.

9 de janeiro

Vá a lugares aonde seja querido e fuja de onde não é. Cerque-se de pessoas e ambientes positivos.

Não perca tempo com quem que não o aprecia nem valoriza tudo o que você tem a oferecer. Conheço muitas garotas que ficam correndo atrás de caras na esperança de mudá-los, ou de amigos que não querem o melhor para elas, mas isso não dá certo. Um dos segredos para relacionamentos e amizades duradouros é o respeito mútuo.

Objetivo: Não desperdice seu tempo correndo atrás de alguém que já disse que não quer você por perto. Avalie todos os seus relacionamentos e elimine os negativos.

10 de janeiro

Não invalide seus sentimentos.
Honre-os.

Eu tinha o hábito de me esconder do que sentia, especialmente quando era algo inquietante, doloroso ou desconfortável. Mas, com o tempo, aprendi a aceitar todos os meus sentimentos. Sei que para resolvê-los preciso primeiro honrá-los e aceitar todas as emoções. Elas são parte de mim. Portanto, são significativas e válidas.

Objetivo: Escolha um sentimento que o envergonhe ou assuste. Sentir medo, raiva ou tristeza não é um problema, desde que você não se deixe definir por eles. Aceite suas emoções e lembre-se do quanto são valiosas.

11 de janeiro

Você tem um cérebro na cabeça.
Você tem sapatos nos pés. Você pode caminhar na direção que quiser.

— DR. SEUSS

Esta é a sua vida — você tem tudo o que precisa dentro de si para viver tudo o que sempre sonhou. Use tudo o que aprendeu e viveu e crie a sua própria realidade. O lado bonito da vida é que se não gostar da situação atual, sempre haverá um novo momento e um novo dia para recomeçar.

Objetivo: Tome decisões inteligentes e sensatas. Encoraje a si mesmo a fazer hoje as escolhas para o futuro que você quer amanhã.

12 de janeiro

Um sonho é um desejo feito pelo seu coração.

— CINDERELA

Por mais simples que pareça, essa é uma das mensagens mais profundas que os contos de fadas da Disney nos proporcionaram. Podemos crescer e ser quem quisermos — ir para onde quisermos. Se você tiver um objetivo, tente alcançá-lo com todas as suas forças. Tudo é possível.

Objetivo: Faça um desejo com todas as suas forças e corra atrás de todos os seus sonhos. Só você pode atingir seus objetivos. Ninguém mais pode alcançá-los por você.

13 de janeiro

Torne-se seu melhor amigo.

Ao longo dos anos, tive de aprender a me tornar minha melhor amiga. Em muitas noites, chorei até dormir, de tristeza e solidão, sentindo quase todas as angústias possíveis. Com o tempo, percebi que eu precisava aprender a me reconfortar para superar a dor. É um processo, e ainda estou aprendendo, mas melhorei muito. Posso dizer com sinceridade que sou minha melhor amiga.

Objetivo: Ame e trate a si mesmo como trataria seu melhor amigo. Você merece o mesmo amor que dá aos outros.

14 de janeiro

Não importa o que somos ao nascer, mas o que nos tornamos quando crescemos.

— J. K. ROWLING

A história de cada um de nós começa de um jeito. Todas as vidas começam em situações diferentes, mas quando dedicamos o coração e a mente à nossa paixão, é impossível nos deter. As recompensas e o sucesso são medidos por seu esforço e resistência.

Objetivo: Orgulhe-se de ser quem é e de sua origem. Anseie para seguir em frente e se tornar quem deseja ser.

15 de janeiro

Minha mãe sempre disse que se você não consegue encontrar uma razão para viver, é melhor encontrar algo pelo que morrer.

— TUPAC

Cada um de nós tem um propósito nesta linda terra. O que fazemos de nossa vida e como escolhemos vivê-la depende de nós. O mais importante é que você tenha uma causa, algo em que acredite e que ilumine sua vida e o conecte ao seu propósito.

Objetivo: Encontre algo que o faça se levantar da cama de manhã e envolva-se com essa atividade. Defenda as coisas nas quais acredita.

16 de janeiro

Quando seus pés começarem a doer, calce os sapatos de outra pessoa.

É muito fácil se concentrar em seu próprio mundo e se deixar consumir pelos acontecimentos. Às vezes temos até dificuldade de perceber o que estamos fazendo, de tão envolvidos que ficamos. Isso pode ser perigoso porque corremos o risco de de repente perder o contato com a realidade. Não invalide suas emoções ou dificuldades, mas lembre-se de que outras pessoas passam por coisas piores.

Objetivo: Ganhe perspectiva fazendo serviço comunitário ou caridade. Faça uma lista de dez ou 15 coisas ou pessoas pelas quais você é grato — não importa quão simples ou importantes possam parecer.

17 de janeiro

Lembre-se de que ninguém pode fazê-lo se sentir inferior sem seu consentimento.

— ELEANOR ROOSEVELT

Nesta vida, existem pessoas que vão tirar vantagem de você e lhe dizer quem acham que você é. A forma de lidar com essa informação é uma escolha sua. Quando deixamos os outros tomarem decisões por nós, abrimos mão de nossa dignidade. Mas sempre podemos recuperá-la, basta nos lembrarmos de nos conectar ao poder superior.

Objetivo: Não deixe ninguém te manipular ou se aproveitar de você. Lembre-se de que você tem direito à vida e ao amor que merece.

18 de janeiro

Acredito firmemente que tudo acontece por um motivo.

Não acredito em coincidências. Acho que as coisas acontecem do jeito que devem acontecer. Quando você analisa e avalia cuidadosamente cada experiência que já teve, percebe que são resultado direto de suas ações e pensamentos.

Objetivo: Não combata nem vire as costas para os acontecimentos inesperados. Com o tempo, e de um jeito próprio, eles vão melhorar sua vida de alguma maneira.

19 de janeiro

Em geral, as pessoas abrem mão de seu poder porque acham que não o têm.

— ALICE WALKER

Quando você deixa os outros o denegrirem ou dizerem que você não tem nada a oferecer, está permitindo que o derrotem. Está basicamente consentindo através da submissão. Ninguém tem o direito de roubar seu poder — ele é só seu.

Objetivo: Use a voz que lhe foi dada. Grite o que acredita a plenos pulmões. Nunca permita que ninguém o cale.

20 de janeiro

Nenhuma outra pessoa sabe o que é certo para você, então siga seus instintos.

Escute aquela vozinha que existe dentro de você, como um pai amoroso ou um bom amigo. Essa é a parte mais verdadeira da sua alma, a chave para sua felicidade. Às vezes, pensamentos, medos ou outras pessoas tornam-se opressivos demais, e não conseguimos ouvir a nós mesmos. Faça o que for necessário para recuperar esse contato.

Objetivo: Hoje, siga seu coração.

21 de janeiro

A preocupação não elimina a tristeza de amanhã, mas elimina a força de hoje.

— CORRIE TEN BOOM

Acho que, às vezes, as pessoas acreditam que a preocupação tem algum propósito produtivo. Esse sentimento rouba toda a sua energia e a alegria do que quer que esteja fazendo. A preocupação é parte da natureza humana, mas quando acontece constantemente nos causa muitos problemas. Pode ser uma distração, mas não leva você a lugar nenhum.

Objetivo: Da próxima vez que estiver preocupado com algo, tente lembrar de que nem sempre você está no controle. Em vez de se preocupar, faça coisas práticas, como criar uma planilha de custos ou um cronograma. Seja proativo e livre-se do estresse. Afinal de contas, ele não muda nada.

22 de janeiro

Nunca se envergonhe do que sente.
Você tem o direito de sentir qualquer emoção
e de fazer o que o deixa feliz.

Não somos robôs. O que nos torna excepcionais como seres humanos é que temos a capacidade de sentir muitas emoções ao mesmo tempo. Mesmo que às vezes isso possa ser opressivo, é impressionante o que nosso corpo é capaz de fazer. Eu já ri de tanto chorar e já chorei de tanto rir. De um jeito ou de outro, as emoções não são um sinal de fraqueza, mas de força e paixão.

Objetivo: Assista a um filme que o faça rir e escute uma música que o faça chorar. Aceite suas emoções e orgulhe-se do que sente.

23 de janeiro

Imperfeição é beleza, loucura é genialidade, e é melhor ser absolutamente ridículo do que absolutamente entediante.

— MARILYN MONROE

Só depois que comecei a fazer terapia, descobri que sou bipolar. Foi quando soube que o transtorno bipolar é uma doença mental. Não é algo que eu possa controlar, e essa foi minha razão para buscar ajuda, e não me envergonho. Tudo mundo carrega um peso, seja simples como uma espinha ou grave como uma doença mental, mas quando nos lembramos de que cada um de nós tem as próprias dificuldades, percebemos que precisamos nos unir para ajudar a apoiar uns aos outros.

Objetivo: Não importa se o problema parece ser pequeno, seja gentil e procure ajuda para o que você ou um amigo esteja enfrentando.

24 de janeiro

Nossos segredos nos deixam doentes.

— DESCONHECIDO

Nossos segredos podem ser extremamente tóxicos, e sequer percebemos. Tive de aprender que guardar as coisas dentro de mim era parte da razão pela qual eu quis usar álcool e drogas — para me esconder de mim mesma. Quando comecei a me abrir, comecei a me curar. Conversando com alguém e expressando meus sentimentos, consigo amenizar o poder da emoção que está me oprimindo.

Objetivo: Compartilhe com um amigo íntimo ou membro da família algo que você vem escondendo. Veja como vai se sentir melhor depois.

25 de janeiro

Não trabalhe para ser um sucesso,
e sim para ter valor.

—ALBERT EINSTEIN

É muito fácil ficar preso ao desejo de ter sucesso, riqueza e fama. Se esse é o tipo de reconhecimento que você busca na vida, ele não vai durar, porque não é autêntico. Estamos aqui para ser úteis, para ser valorosos e para ajudar os outros a nossa maneira. O sucesso não nos define. É apenas um lembrete do que podemos alcançar.

Objetivo: Pense no que importa para você e verifique se está fazendo as coisas pelos motivos certos, e não para agradar seu ego. Seus propósitos devem ser saudáveis para você.

26 de janeiro

Faça o seu melhor, descanse um pouco e cante uma música.

— BRANCA DE NEVE

Às vezes, sua única opção é fazer o melhor que pode. Tire um tempo para si mesmo e encontre algo que o faça feliz. Para mim é cantar. Quando eu canto ou toco algum instrumento consigo amenizar os conflitos que estou enfrentando. Se você for apaixonado por esportes, pratique! Se estiver trabalhando demais, experimente meditação ou ioga. O importante é cuidarmos de nós mesmos.

Objetivo: Cante bem alto hoje. Ria e dance como um bobo. Permita-se o que o faz feliz. Você merece!

27 de janeiro

Aprenda com o passado e compartilhe suas experiências com os outros. Aproveite o presente e anseie pelo futuro.

Existe uma diferença entre se apegar ao passado e aprender com ele. O que passou, passou, e sei que é importante deixar para trás porque não posso mudar o que já aconteceu. Mas ao mesmo tempo, quero ficar atenta ao passado e aprender com meus erros e sucessos na vida. O futuro também me anima, mas no final das contas, tudo o que temos é o agora, e devemos aproveitá-lo e amá-lo.

Objetivo: Faça um esforço consciente para viver no presente. Quando perceber que está obcecado pelo passado ou preocupado com o futuro, lembre-se de que você está exatamente onde deveria estar agora.

28 de janeiro

Quero envelhecer sem plásticas no rosto.
Quero ter a coragem de ser leal
ao rosto que criei.

— MARILYN MONROE

Nem sempre é fácil se sentir totalmente confortável e orgulhoso do corpo que temos. Em alguns dias, nossa pele está feia, nosso cabelo não fica direito, nos sentimos gordos e não conseguimos encontrar uma roupa que fique bem. Todo mundo se sente assim de vez em quando. É preciso coragem para se amar do jeito que você é.

Objetivo: Descubra como é revigorante não criticar a si mesmo. Em vez de criticar as partes do seu corpo, lembre-se de que você é abençoado por tê-las.

29 de janeiro

Pessoas religiosas têm medo de ir para o inferno, mas pessoas espiritualizadas são aquelas que já foram ao inferno e não querem voltar lá.

— ANÔNIMO

Ficar pisando em ovos na tentativa de não ofender os outros é uma perda de tempo. É fácil nos concentrar em tentar agradar os outros e deixar de ser nós mesmos. Você não vai ser perfeito nem amado por todo mundo. É muito mais agradável e importante viver sua vida e aprender com seus erros para não acabar errando outra vez.

Objetivo: Seja quem você é e não permita que ninguém afete a confiança em sua individualidade.

30 de janeiro

Paus e pedras podem quebrar seus ossos,
mas palavras e xingamentos podem fazê-la
querer se matar.

— DESCONHECIDO

Dizem que paus e pedras podem quebrar seus ossos, mas palavras nunca o machucarão — mas isso está muito longe de ser verdade. Às vezes, as palavras nos afetam mais do que a dor física. Algumas coisas que foram ditas para mim no passado me magoam até hoje. Eu me lembro de dizer à minha mãe que preferia que os bullies tivessem me batido do que dito as coisas cruéis que disseram, porque essas coisas mudaram minha vida para sempre.

Objetivo: Defenda alguém que está sofrendo bullying na escola ou no trabalho. Lembre a si mesmo e aos outros do quanto as palavras podem ser poderosas. E quando estiver falando com outras pessoas, escolha as palavras com cuidado.

31 de janeiro

Todo sonho começa com um sonhador. Sempre se lembre de que você tem dentro de si a força, a paciência e a paixão para chegar ao topo e mudar o mundo.

— HARRIET TUBMAN

Todos nós precisamos dar o primeiro passo, e devemos nos lembrar de que nossa jornada não está traçada a nossa frente. Sonhos e visões evoluem e mudam junto conosco.

Objetivo: Seja um sonhador destemido — o céu é o limite. Escreva de cinco a dez coisas que você mais quer alcançar no próximo mês. Nunca pare de lutar para ser o melhor que puder!

Fevereiro

1 de fevereiro

Quando demonstramos nosso amor, o mundo nos abre os braços.

O mundo nos devolve o que oferecemos a ele. Ofereça sua energia positiva e receberá o mesmo de volta. É impressionante como o amor pode acalmar qualquer situação. Mesmo que as outras pessoas se comportem de maneira tóxica e prejudicial, reagir com amor e compaixão é algo poderoso. Seja qual for o resultado, você vai dormir sabendo que agiu bem, e isso é tudo o que podemos controlar.

Objetivo: Demonstre suas emoções hoje e mostre ao mundo quanto amor há dentro de você. Abrace e faça sorrir o máximo de pessoas que puder.

2 de fevereiro

Se você sonhar com o coração, nenhum desejo é impossível.

— *PINÓQUIO*

O que importa é correr atrás do que você ama. Se for leal a seus desejos mais sinceros, não existe sonho grande demais. Na verdade, quanto mais alto você sonha, mais alegria atrai para sua vida.

Objetivo: Permita-se sonhar alto hoje, e sinta-se em paz por saber que sonhar já é o primeiro passo de sua realização.

3 de fevereiro

Meu único conselho é ficar atento, prestar atenção e pedir ajuda se precisar.

— JUDY BLUME

Continue evoluindo, continue crescendo, continue cometendo erros, apaixone-se, magoe-se, cresça e faça tudo de novo. Tudo o que passamos nos permite ser mais vivos, mais vibrantes, mais alegres. Não se deixe abater pelo medo ou pela vergonha. Siga em frente, siga vivendo.

Objetivo: Confronte um de seus medos hoje. Tente se lembrar de algo difícil que você enfrentou e o que aprendeu com isso. Como aquele problema o fortaleceu?

4 de fevereiro

Um problema nunca é resolvido sem uma solução. Quanto antes, melhor!

Tento começar cada dia fazendo as coisas que me deixam mais ansiosa, porque me sinto mais forte para realizar minhas atividades diárias. Quando nossas preocupações e ansiedades são silenciadas, ficamos livres para fazer coisas melhores.

Objetivo: Resolva todas as suas pendências hoje — sejam quais forem. Garanto que vai se sentir muito mais leve, provavelmente pelo resto da semana.

5 de fevereiro

O choro pode durar uma noite, mas de manhã irrompe a alegria.

— SALMOS 30:5

Às vezes precisamos das lágrimas para alcançar uma alegria mais profunda. Quando as coisas estão difíceis, permita-se sentir a tristeza. Deixe suas lágrimas caírem com a certeza de que elas vão secar e algo maravilhoso chegará até você.

Objetivo: Se estiver triste, reserve um tempo para pensar na alegria que certamente virá em seguida. Lembre-se de que a hora mais escura é logo antes do amanhecer.

6 de fevereiro

Acho que as cicatrizes são como ferimentos de guerra — têm certa beleza. Elas mostram o que você enfrentou e como é forte por ter superado.

Uma cicatriz é o símbolo da superação de algo profundo. Alguns têm cicatrizes físicas e visíveis; olhar para elas nos lembra de uma difícil jornada. Para muitos, as cicatrizes são invisíveis — metáforas de uma batalha que lutamos e vencemos.

Objetivo: Reflita sobre suas cicatrizes e sobre como elas o ajudaram a moldar sua vida para melhor.

7 de fevereiro

Quando aprendemos a nos comunicar com os outros, são poucos os problemas que não podemos resolver juntos.

As pessoas sempre vão discordar umas das outras, porque ninguém é igual. Cada um tem sua própria e complexa história, que influencia sua visão de si mesmo e do mundo ao redor. Eu ficava nervosa e frustrada quando sentia que não estava em sintonia com alguém. Mas com o tempo percebi que o vital nos relacionamentos humanos não é a concordância — é aprender a conversar sobre as divergências.

Objetivo: Confronte um amigo ou colega de forma carinhosa se alguma coisa estiver incomodando você. Não esconda coisas que o inquietam; tente descobrir com calma uma maneira de resolver coletivamente os problemas. Diga como se *sente* em relação à questão, e pense em uma maneira de evitar que ela volte a ocorrer.

8 de fevereiro

Só aqueles que se arriscam a ir longe demais têm a chance de descobrir até onde podem chegar.

— T. S. ELIOT

Aprendemos por tentativa e erro, passando dos limites de forma destemida e com convicção. É melhor tentar e falhar do que imaginar o que poderia ter acontecido. Ficar pensando no "e se..." pode ser debilitante.

Objetivo: Quando algo for importante para você, não se contenha — dê tudo de si; vá o mais longe que conseguir. Faça o máximo que puder para ter a vida que sonha, para nunca se arrepender no futuro. O que você pode fazer hoje para criar a vida que quer amanhã?

9 de fevereiro

A maior riqueza é a saúde.

— POETA ROMANO

A saúde é algo que nenhuma das riquezas do mundo pode comprar. Tome conta de si mesmo e valorize o que tem. Seja grato por ter acordado hoje, porque isso não é algo garantido. Passei tanto tempo sem valorizar minha saúde que esqueci de como tenho sorte por estar viva. O corpo é nosso templo. Trate-o como seu santuário.

Objetivo: Faça algo de bom por seu corpo hoje. Saia para correr, faça uma caminhada ou uma aula de ioga. Mas, sobretudo, seja grato pela vida que está vivendo hoje.

10 de fevereiro

Não vá para onde o caminho conduz, siga por onde não há caminho e deixe sua trilha.

— RALPH WALDO EMERSON

Às vezes é mais fácil e seguro seguir os outros. Mas se nunca buscássemos novas paisagens e ideias, nenhuma das maravilhosas inovações de hoje existiriam. Se Thomas Edison não tivesse acreditado na eletricidade, não teríamos luz. Se Rosa Parks não tivesse defendido o que acreditava, não teria inspirado outras pessoas a fazer o mesmo. Podemos mudar o mundo se nos recusarmos a ouvir a voz que diz "não podemos" ou "não devemos".

Objetivo: Liberte-se e comece seu próprio caminho — inove. Pense de forma pouco convencional. Tudo é possível.

11 de fevereiro

O sentimento que pode partir seu coração às vezes é o mesmo que o cura.

— NICHOLAS SPARKS

Muitas vezes, quando estou tentando lidar com a perda e a decepção, perco muito tempo procurando respostas que tinha dentro de mim o tempo todo. Ouço um milhão de opiniões sobre como lidar com algo ou alguém, mas me esqueço da parte mais óbvia: a mesma coisa que está causando a dor também tem o poder de me curar.

Objetivo: Lembre-se de que nem sempre existe uma solução imediata. Seja paciente e peça ajuda e orientação a alguém com mais experiência de vida.

12 de fevereiro

Veja a criança interior de cada pessoa.

Às vezes, quando fico frustrada ou irritada com alguém, lembro-me de que essa pessoa já foi criança um dia. Fecho os olhos e a visualizo como deve ter sido quando era pequena e, quando os reabro, tudo o que sinto é amor e compaixão. A origem de seu comportamento, qualquer que tenha sido, perde a importância; o que prevalece é a inocência, e tudo o que consigo é me sentir honrada em sua presença.

Objetivo: Enxergue o potencial para o bem em todos e tenha compaixão pelos inimigos. Lembre-se de que nunca se sabe o que acontece por trás de portas fechadas. Portanto, tenha piedade das ações dos outros. É provável que eles também estejam sofrendo.

13 de fevereiro

Não espere, a hora certa nunca vai chegar.

— NAPOLEON HILL

Às vezes esperamos o momento certo para fazer alguma coisa. Descobri que essa espera pode fazer com que a felicidade demore a chegar. A maioria dos momentos importantes da minha vida aconteceu porque me esforcei para obtê-los. Isso não quer dizer que de vez em quando algo maravilhoso não possa acontecer magicamente, porque pode, sobretudo se você estiver trabalhando e pensando positivo. Mas em certas horas da vida precisamos simplesmente ir em frente e nos arriscar.

Objetivo: Dê o primeiro grande passo em direção a algo que você esteja sempre postergando.

14 de fevereiro

Onde quer que você vá,
vá com todo o coração.

— CONFÚCIO

Se nos deixarmos guiar pelo coração, sempre faremos escolhas honestas e autênticas, que poderemos manter. Acredito que nosso mundo precisa de mais gente que lidere com o coração e ame sem perguntas ou exigências. Se todos nos dedicarmos a nossas paixões, temos uma chance maior de alcançar nossos objetivos.

Objetivo: Siga sua intuição e lembre-se de que seus instintos não mentem. Confie em sua alma e distribua amor aos outros.

15 de fevereiro

Nunca pedir ajuda não o torna corajoso.

— STRAYLIGHT RUN, "SYMPATHY FOR THE MARTYR"

Quando o estresse de guardar emoções pesadas se acumula, pode causar mais danos do que você imagina. Nunca é fácil pedir ajuda, mas por favor encontre a força para fazê-lo. Escreva uma carta, ligue para alguém. Faça o que for necessário para mandar um SOS. Sempre existe ajuda, e as pessoas mais corajosas do mundo são aquelas que conseguem pedi-la.

Objetivo: Seja corajoso e conte a alguém que você precisa de ajuda.

16 de fevereiro

Se você tiver bons pensamentos, eles vão emanar de seu rosto como raios de sol e você sempre será adorável.

— ROALD DAHL

Quando temos o controle de nossa vida e nossa felicidade, a alegria é contagiante. Nada no mundo deixa uma pessoa mais bonita do que estar radiante de felicidade. Nunca se sabe como um simples sorriso ou um "como você está?" sincero para um amigo podem mudar o dia dele, ou até a vida.

Objetivo: Sorria e mostre sua beleza ao mundo. Preste atenção às emoções das pessoas ao seu redor e lembre-se do impacto que você pode ter sobre elas.

17 de fevereiro

Sou egoísta, impaciente e um pouco insegura. Eu cometo erros, sou descontrolada e, às vezes, intratável. Mas se você não conseguir lidar comigo no pior momento, sem dúvida alguma não me merece no melhor.

— MARILYN MONROE

Todos os que realmente amam e apoiam você sempre estarão presentes. A melhor maneira de descobrir quem são seus verdadeiros amigos é ver quem fica ao seu lado em momentos de confusão e sofrimento. Se as pessoas não conseguirem aceitá-lo quando estiver enfrentando dificuldades, certamente não o merecem quando estiver em seu melhor. É importante ter isso em mente na hora de decidir com quem conviver.

Objetivo: Seja o tipo de amigo que quer em sua vida. Seja grato por todas as pessoas que provam que o merecem.

18 de fevereiro

A confiança começa com a beleza. A beleza começa com o conforto interior.

Em festas, já vi garotas deslumbrantes se esconderem pelos cantos, com medo de conversar com os outros. Sei que eram inseguras. Talvez não se considerassem bonitas o bastante ou não achassem que estavam com a roupa certa, mas isso imediatamente ofuscava sua luz interior. Para mim, não existe nada mais atraente do que alguém que se assume na própria pele.

Objetivo: Encontre algo que o deixe confortável e confiante. Lembre-se do quanto é especial e orgulhe-se disso!

19 de fevereiro

Erros não passam de oportunidades de aprender, crescer e melhorar nosso futuro.

É muito comum sentir remorso por erros que cometemos no passado. Eles são parte da natureza humana e da vida. Nossos erros são, ao mesmo tempo, bênçãos e oportunidades para continuar aprendendo e evoluindo. Mas mesmo que você aprenda com seus erros, não pense que não vai mais errar. Isso vai acontecer, e não é nada de mais.

Objetivo: Continue crescendo e encare cada desafio como uma chance de aprender algo novo. Você ficará perplexo ao ver como é fácil seguir em frente.

20 de fevereiro

Sei que se Deus está me fazendo passar por uma experiência, ela é necessária para mim.

— LIL WAYNE

Às vezes, quando as coisas são muito difíceis e dolorosas, não paramos de nos perguntar por que temos de passar por elas, por que as merecemos? Mas existe um jeito melhor de encarar um momento difícil na vida. Em vez de resistir, tente entregar-se a ele e pensar que existe um motivo para aquilo ter acontecido com você e não com outra pessoa. Qualquer coisa que você estiver enfrentando faz parte da sua jornada.

Objetivo: Da próxima vez que passar por um período difícil, encontre maneiras de crescer e aprender em vez de se concentrar no sofrimento.

21 de fevereiro

Quando as pessoas não se expressam, morrem aos poucos.

— LAURIE HALSE ANDERSON

A música sempre me ajudou a expressar o que não consigo colocar em palavras. Uma das melhores partes da minha profissão é que posso usar a voz e a música para ajudar a tocar os outros e lhes dar força. Sei exatamente o que é ficar sozinho no quarto, exausto, machucado por dentro e por fora, solitário e desesperado para se sentir amado e ligado a alguém. Minhas músicas não são só para mim, são para todas as pessoas que precisam de um amigo. São para qualquer um que já sentiu que precisava de alguém ao seu lado. Se você está lendo este livro, por favor, saiba que estou com você e quero ajudá-lo a atravessar seus dias mais sombrios.

Objetivo: Ponha para tocar qualquer música que sempre faz com que se sinta melhor. Se você for um músico ou compositor, pegue seu instrumento e se expresse.

22 de fevereiro

As coisas mais valiosas e bonitas do mundo não podem ser vistas nem tocadas — precisam ser sentidas com o coração.

— HELEN KELLER

O que torna a vida tão maravilhosa são as coisas intangíveis. Minhas lembranças mais incríveis são de experiências e emoções que não podem ser descritas nem recriadas. Passei muitos anos tentando chegar ao êxtase com drogas e álcool, sem me dar conta de que o maior êxtase estava diante de mim o tempo todo — a vida.

Objetivo: Desacelere e experimente algo bonito que não pode ver, e sim sentir.

23 de fevereiro

Sempre seja a melhor versão de si mesmo,
e não uma versão de segunda categoria
de outra pessoa.

— JUDY GARLAND

Assim como um floco de neve, não existe ninguém igual a você neste planeta. Não perca tempo tentando imitar os outros. Seja sua melhor versão e mostre-se ao mundo. Ser você mesmo — não outra pessoa — é o seu maior talento. Se todos tivessem a mesma aparência, falassem e andassem do mesmo jeito, ninguém seria único. A individualidade não existiria. Ser diferente é que torna você especial e deixa o mundo tão interessante.

Objetivo: Avalie sua personalidade. Tenha certeza de que não está imitando outra pessoa, e sim sendo quem deve ser. Seja estranho sem medo, porque o "normal" é um tédio!

24 de fevereiro

Coragem para mudar.

— DESCONHECIDO

A mudança é parte da vida, mas pode ser assustadora. Mudar significa crescer, e crescer significa evoluir. Lembro-me de que quando eu era pequena, meus pais me diziam que eu tinha de aprender algumas lições para crescer. Quando fiquei mais velha, percebi que minhas lições não só estavam ficando mais difíceis de entender e superar, mas também cada vez mais valiosas. Deram muito mais significado à minha vida. Crescer exige coragem, então quando estiver enfrentando suas próprias dores de crescimento, lembre-se de continuar firme e de ser corajoso, porque elas significam que você está se tornando uma pessoa melhor.

Objetivo: O que você gostaria de mudar na sua vida ou em você? Encontre a coragem para colocar isso em prática, dando um passo de cada vez.

25 de fevereiro

Não descarte o que você enfrentou, seja bom ou ruim. Existem lições em cada momento de nossa vida.

Cada um de nós tem uma vida única com experiências que ninguém jamais irá entender completamente. Sua história é cheia de lições valiosas que podem ajudar a inspirar, ensinar e motivar outras pessoas se você decidir compartilhá-la. Durante o tratamento, ouvi diversas histórias. Aprendi várias coisas só por ouvi-las. Sou muito grata por ter encontrado coragem para compartilhar minha história e falar sobre o que passei. Isso não apenas ajudou a mim, como deu perspectiva e força a muitas outras pessoas. Encorajo você a fazer o mesmo.

Objetivo: Compartilhe sua história com alguém. Nunca se sabe como uma frase da história da sua vida pode inspirar alguém a reescrever a própria.

26 de fevereiro

Nada é impossível; a própria palavra diz
"Eu sou possível"*.

— AUDREY HEPBURN

As possibilidades da vida dependem da sua capacidade. Quando expandimos nosso conhecimento e nossa consciência, crescemos, e coisas que considerávamos impossíveis de repente de tornam alcançáveis. Quanto mais nos encorajam a expandir nosso conhecimento e a entender como nossa vida funciona, mais somos capazes de realizar.

Objetivo: Concentre-se em uma tarefa ou trabalho hoje. Transforme o impossível em possível. Faça uma lista de como seus maiores sonhos um dia podem se tornar realidade.

* "Na língua inglesa, é possível fazer um trocadilho com a palavra "impossible" e a frase "I'm possible", que em português significa "Eu sou possível". (*N. da T.*)

27 de fevereiro

A aspiração da carne é a morte, mas a inclinação do Espírito é a vida e a paz.

— ROMANOS 8:6

Como sou alguém que lidou com um distúrbio alimentar durante a maior parte da vida, passei muito tempo pensando no exterior, e não no interior. De certa forma, eu estava morta por dentro. Quando comecei a me concentrar em mim, em quem eu realmente era, passei a cultivar um relacionamento amoroso comigo mesma. Só então consegui me sentir confiante e bonita do jeito que sou.

Objetivo: Concentre-se na beleza que existe dentro de você. Liste de cinco a dez qualidades da sua personalidade que o tornam o ser humano espetacular que é.

28 de fevereiro

Pessoas precisam de pessoas — estamos nesta juntos.

Quando nos escondemos de nós mesmos, é muito comum ficarmos isolados. Com o tempo, começamos a internalizar nossas emoções, ter um comportamento recluso e, sem perceber, estamos completamente sozinhos. Isso pode nos deixar deprimidos. Embora seja vital saber ficar sozinho e se sentir confortável consigo mesmo, também devemos nos lembrar de que precisamos do amor e da companhia dos outros. Quando parei de me isolar e retomei o contato com meus amigos e minha família, senti um peso ser tirado de minhas costas.

Objetivo: Aproxime-se das pessoas mais íntimas e comece a reconstruir esses relacionamentos. Saia de sua zona de conforto e pense em maneiras de buscar o apoio dos outros.

Março

1 de março

Às vezes, o maior presente que você pode dar a si mesmo é dar um presente a outra pessoa.

Quando eu tinha 13 anos, doei para a minha igreja 150 dólares que tinha recebido trabalhando como babá. Fiquei tão orgulhosa de mim mesma por essa boa ação que tive de contar a todo mundo que conhecia. Ainda naquele dia, a satisfação por meu ato de bondade foi diminuindo, e eu não conseguia entender por quê. Percebi que tinha feito aquilo parcialmente pelo reconhecimento, não de coração. É importante fazer coisas boas pelos outros sem esperar nada em troca. Um gesto puro e simples de compaixão fala por si próprio e ajuda os outros e a nós mesmos de formas que nem conseguimos entender completamente.

Objetivo: Faça um ato amoroso de bondade de forma anônima. Hoje, faça algo por um desconhecido sem esperar nada em troca, e aproveite a sensação que a caridade proporciona.

2 de março

O ódio é apenas uma forma de amor que não encontrou uma maneira lógica de se expressar.

— LIL WAYNE

Na escola, eu sentia ódio dos alunos que faziam bullying comigo. Percebi que guardar rancor dos outros apenas me prejudicava. Eu acabava projetando minhas inseguranças e descontando em outras pessoas. Era uma reação em cadeia. Se meu amor-próprio fosse mais firme e confiante, eu teria encontrado maneiras mais produtivas de confrontar e de ser superior à negatividade que me cercava.

Objetivo: Não se deixe levar pelo ódio. Tenha compaixão pelas pessoas que o maltratam hoje, entendendo que as ações delas são apenas o resultado de infelicidade e sofrimento interior.

3 de março

A pergunta não é quem vai permitir;
mas quem vai me impedir.

— AYN RAND

Se eu tivesse acreditado em todas as pessoas que me disseram que eu não tinha talento, não teria chegado a lugar algum. Demorei a adquirir confiança. Pode ser muito assustador, mas é melhor aceitar o desafio e superar esses sentimentos, porque no final essas pessoas não têm importância. Ao longo da minha jornada, parei de me preocupar com todas essas bobagens. Parei de tentar controlar meu destino e deixei o amor pelo que sei fazer me comandar, em vez de me preocupar com o fracasso. A única pessoa que realmente me segurava era eu mesma. Hoje em dia, sempre alguém me diz que não vou conseguir realizar alguma coisa, lembro-me de que não devo lhe dar ouvidos e sim acreditar em mim mesma.

Objetivo: Você convive com alguém que está sempre tentando atrapalhar seu sucesso? Talvez esteja na hora de ter uma conversa com essa pessoa ou tirá-la de sua vida.

4 de março

A confiança é um laço que só se forma quando duas pessoas conseguem se ouvir e entender uma à outra. Para mim, essa é a chave das amizades e dos relacionamentos.

As relações entre familiares, amigos, companheiros e colegas é complicada e cheia de experiências de aprendizado. Ninguém chega a este mundo sabendo tudo. Todos passamos por experiências diferentes, cometemos erros, temos sucessos, e depois cometemos mais erros com os quais aprendemos. A capacidade de confiar e ouvir as pessoas que fazem parte da sua vida é a base de qualquer relacionamento saudável.

Objetivo: Quando falar com seus amigos, escute de verdade o que eles têm a dizer, e não se distraia com outra coisa. Você deve isso a eles e ia querer o mesmo em troca.

5 de março

De agora em diante, vivemos em um mundo no qual um homem andou na Lua. Não é um milagre, simplesmente decidimos ir.

— JIM LOVELL

A maioria das coisas com as quais sonhamos são possíveis. Quando olhamos para o céu e vemos a Lua tão distante, parece impossível e descomunal um ser humano ter estado lá. Mas a humanidade realizou essa façanha, e tudo começou com um sonho.

Objetivo: Acredite no impossível hoje. No final das contas, pode acabar não sendo impossível. Qual é seu sonho?

6 de março

Aproveite o momento.

Este momento, enquanto você está lendo este livro, é tudo o que você possui. Você tem a si mesmo e sua vida, e só precisa disso. Passamos muito tempo concentrados no passado ou no futuro e nos esquecemos de quanto somos abençoados por ainda estar aqui, cercados por coisas belas.

Objetivo: Tente viver o momento. Aprecie a vida que está levando agora e perceba como você tem sorte por estar vivo hoje.

7 de março

Sou grata por todo o amor e todo o sofrimento que tive na vida. Ambos foram igualmente maravilhosos.

No amor, passei por êxtase e desilusão e senti todas as outras emoções que existem. Quando fiquei mais velha, aprendi a aceitar os momentos de aflição, porque sei que me fortalecem e que são apenas parte da vida. É doloroso atravessar os períodos difíceis, mas assim como um músculo, precisamos fazer esse exercício para nos tornar mais fortes.

Objetivo: Pense em um momento doloroso de sua vida, depois perceba que aquele sentimento não durou para sempre, apesar de ter parecido que ia durar. Lembre-se de que a vida continua e o tempo de fato cura todas as feridas.

8 de março

A única maneira de ter um amigo
é ser um amigo.

— RALPH WALDO EMERSON

Você só pode esperar que as pessoas o tratem bem se tratá-las bem. Às vezes você não tem como saber como é ser um bom amigo até precisar de um. "Trate os outros como gostaria de ser tratado" é uma frase que todos nós ouvimos um milhão de vezes durante a infância. Pode parecer um clichê, mas se mais gente vivesse de acordo com esse lema, o mundo seria um lugar muito melhor.

Objetivo: Pense em alguma coisa que gostaria que um de seus amigos fizesse por você e faça por ele. Preste atenção em seu jeito de interagir com os outros.

9 de março

Todas as nossas ações têm consequências. Eventualmente, o que fazemos voltará para nós, e por isso é sempre melhor agir com bondade.

— YEHUDA BERG

É muito importante ser atencioso e ponderado em relação a nossos atos e à maneira como tratamos as pessoas. Não é preciso ficar cheio de dedos, e sim tratar os outros com gentileza e respeito genuínos. Quando você se deixa levar pelo ciúme e pela negatividade, deve estar preparado para as consequências de seus atos.

Objetivo: Tente fazer pelo menos 15 pessoas sorrirem hoje. É muito divertido brincar disso com um amigo e ver quem consegue chegar a 15 primeiro. Talvez essas pessoas retribuam o sorriso quando você mais precisar.

10 de março

Se alguma coisa parecer errada, confie em seus instintos. É melhor prevenir do que remediar.

Na vida, é muito frequente nos encontrarmos em situações nas quais nem sabemos como nos metemos. Sem nos dar conta, ficamos tão envolvidos que sentimos uma estranha sensação de obrigação de ir até o fim. Se algo lhe parecer errado, não faça. Se seus amigos tentarem pressioná-lo a fazer alguma coisa que você não queira, ou se seu chefe/colega de trabalho insistir que você tome uma decisão antiética, questione a intenção deles e a sua. Só faça o que for certo para *você*.

Objetivo: Só faça o que o deixar confortável, porque você é seu único guia.

11 de março

Se for para cantar como outra pessoa, prefiro nem cantar.

— BILLIE HOLIDAY

Seja você mesmo na vida. Se alguém lhe pedir para ser como outra pessoa, é importante se conhecer o bastante para manter-se fiel a sua personalidade. Ser confiante e não temer o que os outros pensam sobre você são as qualidades mais atraentes que existem. Afinal de contas, quando você tenta ser alguém que não é, em geral as pessoas percebem na hora.

Objetivo: Cante sua própria música; dance sua própria dança. Você não precisa imitar nem ser parecido com ninguém.

12 de março

Há uma fresta, uma fresta em cada coisa,
é assim que a luz entra.

— LEONARD COHEN, "ANTHEM"

As coisas mais difíceis que enfrentei resultaram em grande parte da beleza e da alegria de minha vida. Quando saio da escuridão, fico grata por ter acabado. A dor me fez crescer e me tornar melhor, mais forte, e me encheu de gratidão por tudo o que minha vida tem a oferecer. A luz no fim do túnel pode parecer estar a muitos quilômetros de distância, mas quando mais fé você tiver, mais rápido vai encontrá-la.

Objetivo: Encontre esperança em uma situação difícil.

13 de março

Não tema defender aquilo em que acredita,
mesmo que precise fazê-lo sozinho.

— DESCONHECIDO

Em alguns momentos da vida, parece que você é o único que vê as coisas de determinada forma. Desde que sempre siga seu coração e sua consciência e honre seus valores, não importa o que os outros pensam. Você deve manter sua posição e fazer o que é certo. O movimento de defesa dos direitos civis nos Estados Unidos começou com poucas pessoas. Todos ficaram contra elas e as ridicularizaram, mas elas se mantiveram firmes. No final, aquele movimento mudou a história e abriu caminho para muita gente incrível ser tratada com dignidade e igualdade.

Objetivo: Defenda algo ou alguém hoje. Pode ser um desconhecido ou alguém que você ame. Ou some forças com um grupo de pessoas que defende algo em que você acredita.

14 de março

Honre todos os sentimentos e poderá viver de forma verdadeira.

Uma das coisas que aprendi a amar na vida, é que ela sempre muda. Às vezes estamos cheios de alegria, tédio, derrota ou desespero. Todas essas emoções formam a estrutura de nossa vida. Não podemos controlar tudo, mas podemos controlar a maneira que deixamos esses diversos momentos nos afetarem. Antes eu sentia que cada decepção era uma perda enorme, uma declaração pessoal sobre o futuro dos sonhos. Hoje, sei que a vida vai ser cheia com todos os tons de sentimento, todas as texturas de emoção, e que existe beleza nisso, desde que eu honre a mim mesma a cada momento.

Objetivo: Pense em alguém ou algo que o magoou e depois em como isso o fez crescer e mudar para melhor.

15 de março

Deus, conceda-me a serenidade para aceitar as coisas que não posso mudar, a coragem para mudar o que for possível e a sabedoria para perceber a diferença.

— REINHOLD NIEBUHR, "ORAÇÃO DA SERENIDADE"

Hoje é o aniversário da minha sobriedade, então eu queria compartilhar a oração da serenidade. Aqueles que estão em recuperação usam essa oração diariamente, mas o maravilhoso é que você não precisa estar em recuperação para dizer essas palavras. Fiz essa oração em quase todos os dias da minha recuperação, e ela me ajudou a simplificar o mar de emoções e sentimentos que normalmente me percorre, sobretudo em um dia difícil. Fazemos o melhor que podemos na vida, vivemos um dia de cada vez, e às vezes só precisamos de um simples lembrete disso.

Objetivo: Faça essa oração em voz alta para si mesmo ou com um amigo hoje, e observe como ela lhe afeta. Repita-a diariamente por uma semana e permita que ela altere sua perspectiva sobre as coisas.

16 de março

Encontre sua luz interior e deixe que ela ilumine o mundo.

Cada um de nós tem algo diferente a oferecer e contribuir para o mundo. Só estamos tentando entender a vida, e cada um de nós faz isso de um jeito. Para mim, esse tipo de autodescobrimento é fascinante. Temos uma luz dentro de nós e precisamos dela para entender as coisas com mais clareza. Não deixe ninguém ofuscar sua luz por que sem ela nenhum de nós consegue enxergar.

Objetivo: Deixe sua luz brilhar. Como você pode iluminar os outros?

17 de março

Se você passa a vida correndo para a próxima festa, do que está fugindo?

Existem muitas figuras da música e da cultura pop que querem que os outros achem que elas são fortes e duronas porque usam drogas e passam a noite em festas. Para mim, ter força é conseguir suportar seus problemas e sentir suas emoções, e não precisar escondê-las. Em algumas noites, tive de me controlar porque queria agir errado, porque não conseguia ficar fisicamente quieta enquanto estava sofrendo ou porque estava tentando evitar viver o momento ruim.

Objetivo: Pare de fugir e comece a lidar com a vida e com seus problemas. Pode ser algo simples como não checar seu telefone quanto você está se sentindo desconfortável ou sozinho. Escute o que está acontecendo em sua mente e respeite os pensamentos que lhe ocorrerem.

18 de março

Sonhe alto ou nem sonhe. Até onde sabemos, só vivemos uma vez, então livre-se do medo e siga seus sonhos.

Não passe nem mais um segundo sem fazer o que ama. Seus sonhos não são seus por acaso, então tente realizá-los destemidamente de braços abertos. Tudo o que conquistei na vida aconteceu porque eu sabia o que queria e fiz tudo o que pude para alcançar. Sonhar alto me deixava com medo, mas quando comecei a realizar meus sonhos, passei a segui-los, e foi aí que eles começaram a me seguir.

Objetivo: Anote todos os sonhos que tem para sua vida. Lembre-se: nenhum sonho é grande demais para você. O mundo é seu.

19 de março

Não faça suposições. Encontre a coragem para perguntar e expressar o que realmente quer. Comunique-se com os outros com o máximo de clareza para evitar mal-entendidos, tristeza e problemas. Com essa única decisão, você pode mudar completamente sua vida.

— MIGUEL ANGEL RUIZ

É melhor reservar um tempo para fazer perguntas e encontrar as palavras para dizer o que você realmente sente. Com frequência, deixamos muito espaço para interpretações porque estamos com pressa ou temos medo de dizer toda a verdade, mas é assim que os mal-entendidos começam. Então, se não tiver certeza do que alguém está dizendo ou de como se sente, simplesmente pergunte.

Objetivo: Quando foi a última vez que você supôs alguma coisa e se enganou? Faça questão de saber a verdade, e não a presuma.

20 de março

Você sempre será testado e tentado a encontrar a saída mais fácil.

Nossos valores sempre serão testados. Sempre seremos tentados a encontrar a saída mais fácil, mentir, trair e roubar, porque às vezes essas coisas parecem mais simples, mas posso lhe garantir que elas têm consequências. Não tenho como lhe dizer o quanto é importante se controlar antes de fazer alguma coisa da qual vai se arrepender. Não sucumba à pressão e não deixe ninguém influenciar suas decisões ou ações.

Objetivo: Se você tiver um amigo ou colega que mente, trai ou rouba, informe-o que não concorda com seus valores, e avise se esses maus hábitos começarem a afetar você.

21 de março

Em toda comunidade existe trabalho a ser feito. Em toda nação existem feridas a curar. Em todo coração existe o poder para fazer isso.

— MARIANNE WILLIAMSON

Apesar de todos os problemas, desastres e tragédias dos quais ouvimos falar todos os dias, é importante não deixar a tristeza oprimi-lo nem enchê-lo de desespero. Onde há escuridão também há luz. Às vezes os mais belos arco-íris são causados pelas piores tempestades.

Objetivo: Como você pode disseminar amor, esperança e fé para os outros hoje? Pergunte a si mesmo se existe alguém em sua vida que precise de apoio.

22 de março

Você não pode resolver os problemas dos outros, mas pode ficar ao lado deles e compartilhar o fardo de sua dor, amenizando-a.

— YEHUDA BERG

Com frequência, ao reconfortar pessoas queridas, tudo o que queremos é eliminar sua dor. Ajudar as pessoas que amamos em momentos de necessidade é um desejo muito natural. Mas muitas vezes elas precisam passar pela dor para aprender e emergir mais fortes do que nunca. Lembre-se de que não deve resolver o problema, e sim ajudar a pessoa a encontrar uma solução.

Objetivo: Na próxima vez que alguém que ama estiver passando por um período difícil, pense em formas de apoiá-la em vez de consertá-la

23 de março

Nunca julgue um livro pela capa.

— DESCONHECIDO

É muito fácil passar pelas pessoas e supor quem elas são baseando-se em algum pequeno detalhe ou defeito que percebeu. Talvez elas tenham uma atitude grosseira. Talvez não sejam tão extrovertidas quanto você. De qualquer forma, quem não se dá ao trabalho de conhecer alguém e ouvir o que essa pessoa passou não tem o direito de julgá-la. O que vemos superficialmente são impressões falsas que não dizem nada sobre o que os outros viveram.

Objetivo: Reserve um tempo para conhecer direito as pessoas, pergunte qual é a história delas e seja um bom ouvinte.

24 de março

Acredito que a vida é um prêmio,
mas estar vivo não significa viver.

— NICKI MINAJ, "MOMENT 4 LIFE"

A vida é preciosa, e o que você faz dela é o que o mantém vivo por dentro. Não basta apenas estar vivo e não valorizar essa dádiva. Cada um de nós tem seus medos, mas quanto mais nos esforçamos para superá-los, mais conseguimos aproveitar a vida. O medo varia com a perspectiva ou com a experiência. Quando eu tinha 13 anos, estive em um grave acidente de carro. Até hoje, fico cheia de medo quando entro em um carro. Mas o problema é que se você viver com medo, simplesmente não está vivendo.

Objetivo: Tente enfrentar um dos seus medos hoje.

25 de março

O sinal de uma mente culta é a capacidade de considerar uma ideia sem aceitá-la.

— ARISTÓTELES

Existe muita ignorância em nosso mundo. Ignorância leva a guerra, violência, ódio, julgamentos, intolerância e infelicidade. Seja qual for seu nível de educação, todos nós temos a opção e a capacidade de buscar mais conhecimento e obter compreensão se tentarmos. Mesmo tendo crenças diferentes das outras pessoas ou discutindo por causa de uma divergência, todos nós devemos ser mais abertos a críticas e opiniões.

Objetivo: Ouça todos os lados e chegue a suas próprias conclusões. Se houver uma discussão, concorde ou discorde educadamente das pessoas.

26 de março

Mesmo que meu coração esteja partido, sempre vou ser grata por ele ainda bater.

Tive várias decepções amorosas em meus 21 anos. Relacionamentos são divertidos, empolgantes, lindos e intrigantes. Mas também são complicados. Sei que todos nós sofremos por amor na vida, mas hoje em dia, quando isso acontece, eu me permito sentir a tristeza. Mesmo que seja doloroso, lembro que valeu a pena porque senti algo muito profundo. O fato de ter tido a chance de sentir esse tipo de amor e deixar alguém entrar em meu coração significa que estou viva e sou capaz de muitas coisas.

Objetivo: Sinta uma profunda gratidão por todas as pessoas que entraram em sua vida, positivas ou negativas, porque todas lhe ensinaram alguma coisa.

27 de março

Nunca se esqueça da criança que existe dentro de você; trate-a como se a tivesse conhecido hoje.

Sempre fico perplexa com a facilidade e disposição com as quais as pessoas se permitem odiar a si próprias. Adquirimos o hábito de dizer coisas terríveis sobre nós mesmos e paramos de perceber o dano que elas causam. Você diria essas coisas para seu "eu" de 4 anos? Às vezes, quando fico doente ou cansada enquanto estou trabalhando, em vez de cuidar de mim, obrigo-me a seguir em frente. Esqueço que existe uma criancinha frágil dentro de mim. Sempre se faça essa pergunta antes de se criticar, e contenha-se. Como você trataria uma criança se ela estivesse doente? É importante cuidar de si mesmo em qualquer circunstância.

Objetivo: Trate a si mesmo com gentileza. Ame a criança que existe dentro de você e cuide dela como se fosse seu filho.

28 de março

Por que se encaixar se você nasceu para se destacar?

— DR. SEUSS

Aceite todas as suas excentricidades. Não somos feitos para nos dissolver na multidão — todos somos indivíduos. Às vezes achamos que devemos esconder nossas diferenças, mas não é verdade. Pode ser assustador tentar descobrir a si mesmo e qual é seu propósito na vida. Mas é importante encontrar a resposta para que você possa aceitar e ser quem realmente é.

Objetivo: Não se esconda de si mesmo, conte ao mundo quem você é e orgulhe-se disso.

29 de março

Nunca vou passar um dia sem pensar em comida ou no meu corpo, mas estou convivendo com isso e gostaria de dizer aos jovens para encontrar uma maneira de se sentir seguros e cultivá-la.

Todo mundo lida com suas inseguranças, seja homem ou mulher, especialmente em um mundo no qual nossa aparência tem tanto valor. Essa é uma luta diária para as pessoas, mas cada um de nós acaba encontrando alguma maneira de seguir em frente e continuar firme. Não somos o que comemos, e nossos defeitos *não* nos definem.

Objetivo: Seja superior aos padrões de beleza superficiais da sociedade. Você é melhor do que isso e merece ser exatamente quem é.

30 de março

Aquilo a que você resiste persiste.

— CARL JUNG

Se você passar muito tempo com medo de alguma coisa, trará a energia e a ideia dessa coisa para sua vida em vez de se desfazer dela.

Objetivo: Acredite que estão cuidando de você nesta vida, e não se apegue nem fique obcecado com o resto.

31 de março

Ouça as histórias das outras pessoas e encontre a força e a beleza de seus atos.

Adoro ouvir as histórias dos meus fãs, porque são muito inspiradoras. Eles me contam como superaram bullying, distúrbios alimentares, vícios, automutilação e é maravilhoso ver quanta força temos dentro de nós. Também acredito que quando você compartilha sua história, sua força aumenta e o efeito inspirador que você exerce sobre os outros se multiplica. É preciso coragem para se abrir para as pessoas.

Objetivo: Ligue para um amigo que esteja precisando de apoio e conte a ele como conseguiu superar um momento difícil.

Abril

1 de abril

A incerteza é uma dor solitária demais para saber que a fé é sua irmã gêmea.

— KAHLIL GIBRAN

Pode ser Primeiro de Abril, mas não minta para si mesmo e pare de duvidar de tudo o que faz. Confie em seus instintos e acredite em si mesmo o bastante para tomar as decisões certas. Não é à toa que temos instintos.

Objetivo: Quando perceber que está inseguro, pare na hora e diga: "Eu acredito em mim mesmo."

2 de abril

Às vezes as pessoas são lindas. Não por causa da aparência. Não pelo que dizem. Só pelo que são.

— MARKUS ZUSAK

É fácil se deixar levar pela beleza superficial de nosso mundo. É decepcionante conhecer uma pessoa fisicamente deslumbrante e perceber que lhe falta a gentileza e a compaixão básicas pelos outros, quando paramos para ouvir o que ela tem a dizer. Se alguém não é gentil com o próximo, qualquer beleza física que tenha desaparece. A verdadeira beleza vem da bondade, da virtude e da compaixão. Enxergar esse tipo de beleza exige mais do que um olhar casual.

Objetivo: Reserve um tempo para conhecer as pessoas e depois decida quão bonitas são; você vai se tornar muito mais bonito durante esse processo.

3 de abril

Lembre-se sempre: ações falam mais alto que palavras.

Estou sempre lutando para melhorar através da avaliação das minhas ações diárias e de como elas afetam as outras pessoas. Quando percebo que meus atos magoaram alguém, faço questão de me desculpar. Eu me sinto bem quando faço um esforço consciente para reconhecer meus erros e depois tento ao máximo corrigi-los e demonstrar meu amor. Essas ações têm muito mais impacto do que palavras.

Objetivo: Pense em alguém de quem você deveria se aproximar, seja para se desculpar ou para se reconectar. Diga a essa pessoa que você a ama ou que sente muito.

4 de abril

O ouro não pode ser puro, e as pessoas não podem ser perfeitas.

— PROVÉRBIO CHINÊS

É muito importante reconhecer suas fraquezas e imperfeições. Pode parecer difícil a princípio, mas começar a reconhecer e aceitar suas fraquezas é um ponto de partida honesto para o aprimoramento. Não devemos buscar a perfeição, porque ela não existe. Quando aceitamos incondicionalmente os outros do jeito que são (com defeitos e tudo), temos a oportunidade de ser abertos, de ser corajosos, de aprender.

Objetivo: Observe suas fraquezas e pense em um jeito saudável de aprimorá-las.

5 de abril

Devagar se vai ao longe.

— MIKE BAYER

Sempre ouvimos "devagar se vai ao longe", e adoro essa ideia, na verdade adoro ainda mais a ideia de desacelerar e desfrutar os pequenos momentos da vida. No mundo frenético de hoje, é comum ter uma rotina cheia e, às vezes literalmente, não conseguir tempo de recuperar o fôlego. Isso, além de não ser saudável para nosso corpo e nosso nível de estresse, elimina a alegria do que estamos fazendo.

Descobri que o tempo passa rápido, e que se eu não parar e desacelerar, perco os pequenos momentos. Então, por mais que esteja com pressa para chegar a algum lugar ou alcançar um objetivo, lembre-se também de desfrutar o processo — do contrário, qual é a graça?

Objetivo: Quando você começar a ficar enrolado com sua vida ocupada, faça uma pausa, respire fundo dez vezes e tente meditar ou fazer algo que o acalme.

6 de abril

Ninguém nunca mediu, nem mesmo os poetas, quanto cabe no coração.

— ZELDA FITZGERALD

É realmente incrível quanto amor seu coração pode guardar, e não tenho nenhuma dúvida de que o amor vale toda a dor e o sofrimento que possam vir junto dele. Para cada decepção que você teve, pense em todas as coisas maravilhosas que o amor proporciona, especialmente no começo: o frio na barriga, a vertigem que sentimos no corpo todo. Eu não trocaria o que o amor me faz sentir por nada no mundo.

Objetivo: Abra seu coração e permita que ele sinta todas as emoções sem medo de se magoar.

7 de abril

Todos nós somos obras em progresso.

— MARY J. BLIGE, "WORK IN PROGRESS"

Ninguém nunca disse que é preciso ter todas as respostas, porque lhe garanto que ninguém tem. O mais importante é continuar se aprimorando, continuar permitindo que você se cure, cresça, aprenda e continue humilde. Sempre que sentir que terminou seu trabalho, comece tudo de novo e lembre-se de que tudo isso vale a pena.

Objetivo: Pense que você é uma obra em progresso. Pense em quanto cresceu e mudou no último ano. Imagine quanto vai continuar a mudar a cada ano pelo resto da sua vida. O que existe em você que pode ser trabalhado hoje?

8 de abril

A recuperação é um trabalho diário,
não existe dia de folga.

Estar em recuperação nem sempre é fácil. Tenho dias bons e outros em que sinto vontade de desistir, mas é nesses dias que preciso pedir ajuda, o que não é fácil. Seja um vício físico, um problema mental, uma deficiência ou um trauma emocional, todos precisamos resolver certas coisas. O objetivo não é ser perfeito. É apenas ser a versão mais saudável de si mesmo — por dentro e por fora.

Objetivo: De que traumas você está se recuperando? Que problemas está resolvendo? Procure um amigo ou busque ajuda profissional para obter apoio.

9 de abril

Acho muito saudável ficar um pouco sozinho. Você precisa saber ficar sozinho e não ser definido por outra pessoa.

— OLIVIA WILDE

Nem sempre é fácil ficar sozinho. Quando passei a usar melhor meus momentos de solidão, não só ficou mais fácil como comecei a gostar deles. Seja você introvertido ou extrovertido, é muito importante encontrar a paz e a alegria no tempo que passa sozinho. Quando conhecemos a nós mesmos longe dos outros, nos tornamos mais fortes e melhoramos como amigos e como pessoas.

Objetivo: Encontre conforto em ficar sozinho com seus pensamentos.

10 de abril

A solidão e a sensação de não ser querido são a pobreza mais terrível.

— MADRE TERESA

Não importa quanto dinheiro você tem. Dinheiro não fornece amor e bondade a ninguém. Todas as pessoas querem se sentir amadas e acolhidas, e isso não tem nada a ver com a riqueza material. Nem todo o dinheiro do mundo tem mais importância do que o amor e as pessoas que o cercam.

Objetivo: Esforce-se para fazer alguém se sentir querido e amado hoje. Concentre-se em ser rico de amor.

11 de abril

Estabeleça metas e sonhe alto.

Ter grandes sonhos é maravilhoso, mas para alcançá-los você precisa começar a definir metas e anotá-las. Não basta pensar nelas, é necessário tentar obtê-las ativamente. A melhor sensação que existe é riscar uma meta de sua lista depois de ter trabalhado duro para alcançar um sonho.

Objetivo: Faça uma lista com suas metas para o ano. Mantenha-se focado e progrida para riscá-las da lista.

12 de abril

Seja a mudança que quer ver no mundo.

— DESCONHECIDO

Quanto mais você age segundo o que quer para o mundo, mais inspira os outros a fazer o mesmo. É simples assim. Se quer mudar alguma coisa, você precisa *ser* a mudança necessária.

Objetivo: Faça uma lista de coisas em que acredita e não tenha medo de defender suas paixões.

13 de abril

Sou feito de defeitos costurados a boas intenções.

— AUGUSTEN BURROUGHS

Cada um de nós tem suas falhas e defeitos. Não foi nossa intenção nos tornar falhos, mas a vida é assim — cometemos erros e aprendemos com eles. É isso o que nos torna quem somos.

Objetivo: Seja mais bondoso e gentil consigo mesmo. Aceite seus defeitos e seja grato pelo que aprendeu com eles.

14 de abril

É maravilhoso que ninguém precise esperar nem um instante para começar a melhorar o mundo.

— ANNE FRANK

Eu estava passando por um sem-teto recentemente e observei as pessoas que passavam direto por ele. Aquilo me deixou muito triste, então parei e falei com ele. Depois que me apresentei, ele me disse que seu nome era Denny. Começamos a conversar e rir quando ele contou algumas piadas. Depois de um tempo, Denny começou a chorar e me agradeceu. Eu perguntei por que e ele disse que fazia dias que ninguém falava com ele. Disse que estava muito feliz e grato só por ter interagido com outra pessoa. Eu não consegui acreditar como uma coisa simples tinha proporcionado tanta alegria a nós dois. Nunca vou esquecer aquele momento.

Objetivo: Hoje, faça alguma coisa que torne o dia de outra pessoa melhor.

15 de abril

Não é preciso se preocupar com o amanhã se você foi abençoado com o hoje.

Sei que todo mundo se preocupa com o que vai acontecer em seguida, mas pelo que aprendi isso não leva a nada. Só nos deixa mais tensos e, em geral, nos preocupamos com coisas que podem nem acontecer. Hoje, este momento, é tudo o que temos, então se mantenha presente e focado, valorize o que tem hoje e confie que o resto vai se resolver.

Objetivo: Valorize o que tem hoje.

16 de abril

Faça alguma coisa.
Você vai agradecer a si mesmo no futuro.

— ANÚNCIO DA NIKE

Todas as decisões que você toma hoje afetam sua vida a longo prazo. As coisas que diz a si mesmo, o que ingere, as pessoas com que convive — tudo isso fica com você. As consequências podem acontecer daqui a dez dias ou dez anos, mas é preciso cuidar de si mesmo. Com isso em mente, é muito importante pensar na vida como um todo.

Objetivo: Toda vez que tiver um pensamento autodestrutivo, diga a si mesmo o exato oposto. Observe a rapidez com que seu comportamento pode mudar quando você é atento e positivo.

17 de abril

Meu bem-estar é mais importante que minha aparência. Sentir-se confiante, estar confortável com seu corpo — é o que realmente torna alguém bonito.

BOBBI BROWN

Ninguém tem exatamente o que você tem; você recebeu seu corpo e seus traços, então seja grato por tê-los. Meu amigo Spencer West passou a vida inteira sem as pernas, mas isso não o impediu de viver ao máximo sua vida. Agora, quando começo a criticar meu corpo, penso na força impressionante de Spencer e percebo como tenho sorte por ter pernas. Se ele pode se levantar sem pernas, eu também posso.

Objetivo: Coloque-se no lugar de outra pessoa e agradeça pelo que tem.

18 de abril

Esteja presente agora.

— RAM DASS

Tudo o que temos é o agora. Aprendi isso depois de ir a vários eventos e fazer muitos shows dos quais mal me lembrava. É porque não estava vivendo o momento. Eu não estava presente no que estava fazendo.

Objetivo: Deixe de lado todas as distrações, tire os olhos do telefone ou do computador e aproveite o momento exatamente pelo que ele é.

19 de abril

Você é tão forte quanto seu membro mais fraco; você é tão positivo quanto seu amigo mais negativo.

— KELLY ROWLAND

Você é o que seus amigos são, então saiba com quem está andando e quais são os valores deles. É importante nos lembrar de que os amigos têm uma forte influência sobre nós, e vice-versa. Isso pode ser ótimo, desde que eles o cerquem de amor, lealdade, respeito e positividade.

Objetivo: Você convive com alguém que o faz se sentir mal em relação a si mesmo? Se conviver, este pode ser um bom momento para ter uma conversa franca com essa pessoa e descobrir como resolver a situação.

20 de abril

Quando uma porta se fecha, outra se abre; mas em geral passamos tanto tempo olhando e lamentando a porta fechada que não vemos a que se abriu para nós.

— ALEXANDER GRAHAM BELL

Não importa o que você esteja enfrentando, sempre há uma luz no fim do túnel. Pode parecer difícil chegar até ela, mas é possível. Continue se esforçando para chegar lá e vai ver o lado positivo das coisas. Percebi que sempre consigo encontrar alguma coisa pela qual ansiar. Seja grande ou pequena, ela me ajuda a atravessar esses momentos difíceis.

Objetivo: Lembre-se de que os problemas vão passar e logo você vai chegar ao outro lado.

21 de abril

Que você viva o tempo que falta e nada lhe falte enquanto viver.

— DITADO TRADICIONAL IRLANDÊS

Nossa vida consiste da beleza com a qual a preenchemos — quanto mais beleza tivermos ao nosso redor, mais interessante será nossa vida. Mas querer sempre mais nos impede de aproveitar as coisas que já temos. É bom desejar as coisas, mas também é importante não ser ganancioso.

Objetivo: Não fique obcecado pelo que não tem; seja grato por tudo o que possui.

22 de abril

Lembre-se do quanto já percorreu, não do que falta percorrer. Você não chegou aonde queria, mas já saiu de onde estava.

— RICK WARREN

A maioria das pessoas tem um ritmo de vida tão acelerado que nem sempre há tempo de fazer uma pausa e refletir quão longe chegaram. Normalmente, estamos ocupados demais olhando para o futuro. É fácil ficar insatisfeito com sua posição atual quando não nos damos o trabalho de perceber quanto do caminho já percorremos. Você não precisa estar exatamente onde quer, mas o fato de estar progredindo é incrível. Coisas boas e progresso não acontecem da noite para o dia.

Objetivo: Hoje, celebre a distância que percorreu desde o ano passado. De que mudança em sua vida você se orgulha?

23 de abril

Ninguém é perfeito. Desde que continuemos a nos esforçar para nos tornar melhores, nossas imperfeições são parte da jornada.

Quantas vezes fizemos algo "errado" e nos arrependemos depois? Se aprendermos com esse erro, a experiência não é desperdiçada. Não somos perfeitos; estamos aqui para aprender com nossos erros e imperfeições, não para nos torturar por causa deles.

Objetivo: Pense em como pode transformar seus arrependimentos em lições para o futuro.

24 de abril

Por dentro, é o mesmo amor.

— MACKLEMORE, "SAME LOVE"

Por mais que todos tenhamos excentricidades individuais e dons únicos, somos todos feitos de carne e osso. Somos unidos e conectados tanto por nossas diferenças quanto pelas similaridades. Não importa o fato de vivermos de maneiras distintas, todos estamos em uma jornada para aprender a nos conhecer e amar a nós mesmos assim como aos outros com mais profundidade e honestidade.

Objetivo: Hoje, concentre-se no que o conecta a seus amigos, família e colegas.

25 de abril

Permita-se imaginar o que quer da vida — sem medo e com coragem para realizar seus sonhos.

Nossa imaginação e as visões que nos permitimos ter são muito significativas. Todos precisamos sentir que podemos realizar nossos sonhos; e acredito profundamente que podemos. Mas é preciso esforço para conseguir; não acontece por mágica. Então solte a imaginação ao pensar no que quer da vida, em vez de ridicularizar seus desejos porque parecem impossíveis. Aceite sua visão de vida e permita que ela seja o objetivo diário do qual você está se aproximando. Você não a imaginou à toa.

Objetivo: Faça uma lista de sonhos que quer realizar um dia.

26 de abril

É muito importante ouvir e ser aberto à sabedoria de nossos ancestrais. Devemos respeitar os ensinamentos e as palavras daqueles que vieram antes de nós.

Em nossa árvore familiar e nos livros de História existem muitas narrativas incríveis e inspiradoras que não valorizamos. Mas as pessoas do passado abriram o caminho para chegarmos onde estamos hoje. É importante não apenas aprender com elas, mas lembrar de demonstrar respeito e gratidão por tudo o que fizeram por nós.

Objetivo: Abra um livro de História ou encontre uma figura histórica na internet sobre a qual você não saiba nada e aprenda algo novo. Além disso, pergunte a alguém da família sobre um de seus bisavós — descubra quem foram e no que acreditavam.

27 de abril

Comece onde estiver. Use o que tiver.
Faça o que puder.

— ARTHUR ASHE

Ninguém acha que você precisa ser perfeito. Basta apenas fazer o melhor que puder hoje, com o que você tem dentro de si neste momento. Muitas vezes, nos pressionamos demais para agradar os outros.

Objetivo: O que quer que você sinta ao acordar é bom o bastante; comece daí e tire o melhor proveito possível do dia.

28 de abril

A maioria de nós, acredito eu, admira a força. É algo que em geral respeitamos nos outros, desejamos para nós mesmos e esperamos de nossos filhos. Mas às vezes me pergunto se não confundimos força com outras palavras como agressão e até violência.

— FRED ROGERS, *MR. ROGERS' NEIGHBORHOOD*

Muitas vezes, a força é confundida com a violência. Acho que as pessoas que praticaram bullying comigo, e os bullies em geral, escondem-se de sua verdadeira dor quando buscam uma falsa sensação de força ao rebaixar os outros. Se mais pessoas honrassem os próprios sentimentos e admitissem se sentir fracas, tristes ou incapazes, teriam a oportunidade de começar a se curar. Esse tipo de abertura e honestidade requer força e coragem verdadeiras.

Objetivo: Hoje, seja forte por si mesmo ou por outra pessoa.

29 de abril

Uma das maiores alegrias da vida é ver uma criança rir.

A inocência do riso de uma criança tem algo que sempre me deixa feliz por um bom tempo. As crianças vivem em um mundinho maravilhoso. Na maioria das vezes, ao contrário dos adultos, elas não viram as coisas tristes do mundo que as cerca. Quando nosso mundo se abre, testemunhamos cada vez mais coisas, boas e ruins. Então, ao ver uma criança rindo das coisas mais bobas, sentimos saudades daquela época mais simples da vida. É ótimo lembrar-se da infância com carinho, mas não pense demais no que já passou. Aproveite também seu momento de vida atual.

Objetivo: Se tiver a oportunidade, faça uma criança rir hoje.

30 de abril

Cantar é uma forma de fuga.
É outro mundo. Saio da Terra.

— EDITH PIAF

Desde pequena, minha voz sempre me permitiu escapar e encontrar alegria onde quer que eu estivesse. Todos têm a própria alegria na vida, e em geral ela aparece quando perdemos a noção do tempo e ficamos totalmente imersos em alguma coisa. Assim como Edith Piaf, também me elevo e esqueço todo o resto quando canto.

Objetivo: Descubra o que o deixa mais feliz e eleve-se acima das nuvens mesmo que seus pés estejam plantados aqui na Terra.

Maio

1 de maio

Seja curioso, não crítico.

— WALT WHITMAN

É muito importante manter a curiosidade e a capacidade de nos maravilhar que temos na infância. Quando somos bebês, experimentamos tudo pela primeira vez: engatinhar, comer, andar, falar e todas as sensações. Conforme envelhecemos, deixamos de dar valor às pequenas coisas. Quanto mais nos dispusermos a permanecer abertos e curiosos em relação ao mundo que nos cerca, mais podemos descobrir e aprender.

Objetivo: Seja um explorador hoje. Não descarte nada do que vir, ouvir ou tocar. Esteja disposto a olhar tudo com mais atenção e a estudar seu ambiente.

2 de maio

Respeite sua mente, seu corpo e sua alma.
Você MERECE isso.

Somos sempre os primeiros a nos rebaixar. Somos nossos piores críticos. E grande parte da nossa jornada é aprender a nos amar. Isso significa cuidar bem de mente, corpo, alma e espírito. Trate a si mesmo como trataria uma criança pequena e veja quanta diferença isso faz. Quando você é mais gentil consigo mesmo, tudo muda para melhor.

Objetivo: Fique diante do espelho hoje e diga a si mesmo que você é uma pessoa linda.

3 de maio

Nossas vidas começam a acabar no dia em que nos calamos sobre o que importa.

— MARTIN LUTHER KING JR.

É importante contribuir, porque ninguém além de nós vai defender aquilo em que acreditamos. E se você estiver nesta terra para ajudar a fazer uma descoberta importante, mas não valoriza seus pensamentos o bastante para agir?

Objetivo: Defenda as coisas em que acredita, leve uma vida que tenha significado para você e vá dormir à noite sabendo que está fazendo sua parte para tornar este mundo um lugar melhor. Não existe momento como o presente.

4 de maio

Deixe as crianças lerem o que quiserem, depois converse com elas a respeito. Se pais e filhos conseguirem conversar, não teremos tanta censura porque não teremos tanto medo.

— JUDY BLUME

É muito importante que as crianças sintam que podem pensar e falar abertamente. Os pais e professores devem inspirar os mais novos — ser exemplos de comportamento para filhos e alunos. Não desdenhe das visões e opiniões delas. Diga-lhes que são valorosas e inteligentes.

Objetivo: Independente de sua idade, sempre inspire, estimule e apoie os outros.

5 de maio

Gay, hétero, lésbica, bi: ninguém é melhor do que ninguém.

Somos todos iguais. Se alguém tentar lhe dizer o contrário, você pode ter uma conversa aberta com essa pessoa ou se afastar. Não se deixe levar pelo preconceito e pela ignorância dos outros.

Objetivo: Ajude a disseminar a tolerância em sua comunidade.

6 de maio

Nunca se conforme.

As pessoas se conformam porque temem não conseguir algo melhor do que já têm. Temem não ser boas o bastante. Você merece exatamente o que quer na vida, mas precisa acreditar nisso, ou não vai atrair nada melhor.

Objetivo: Perceba seu valor.

7 de maio

Apegar-se à raiva é como segurar um carvão quente para jogá-lo em alguém; quem se queima é você.

— BUDA

Eu tive de aprender essa lição muitas vezes na vida, porque é difícil deixar as coisas para trás. Raiva e ressentimento são tão tóxicos que você acaba prejudicando a si mesmo. Se você for maltratado, confronte o problema com tolerância, perdão e aceitação. No final das contas, é melhor esquecer, ou esses sentimentos se acumulam.

Objetivo: Escreva em um pedaço de papel todas as coisas que lhe causam raiva e o queime.

8 de maio

Às vezes, ser egoísta não é errado.
Ser abnegado o tempo todo pode prejudicar nossa mente e nosso corpo.

Dizem que durante a queda de um avião, você deve colocar sua própria máscara de oxigênio antes de colocar a de outra pessoa. Você não pode cuidar dos outros se não cuidar de si mesmo antes. As pessoas acham que isso é egoísmo, mas é um tipo bom de egoísmo, o tipo que lhe permite ser útil aos outros da forma mais verdadeira e autêntica.

Objetivo: Faça uma coisa amorosa por si mesmo hoje: permita-se uma massagem, dormir até mais tarde ou meditar.

9 de maio

Se quiser saber quem é um homem, veja como ele trata seus inferiores, não seus pares.

— J. K. ROWLING

Para mim, não existe nada menos atraente do que ver alguém ser muito gentil com os poderosos e tratar mal outra pessoa que julga ser de uma classe social inferior. A melhor maneira de descobrir quem alguém realmente é, é ver se trata todos com igualdade. Se não, vale a pena reavaliar o relacionamento com essa pessoa.

Objetivo: Trate todas as pessoas da mesma forma, com amor, respeito e gentileza, seja qual for a posição social e financeira delas. Você não é melhor nem pior que ninguém por causa do que tem ou não tem.

10 de maio

Assim como a Lua, saia de trás das nuvens! Brilhe.

— BUDA

Todos nós temos dias ruins, mas a escuridão sempre traz a luz. Você tem a escolha e o poder de emergir de qualquer escuridão ou dificuldade que o esteja consumindo. Use sua luz interior para brilhar e iluminar o mundo. Às vezes pode ser algo simples como ter pensamentos positivos quando você não está com vontade.

Objetivo: Ilumine o mundo com seu sorriso mesmo que esteja se sentindo para baixo.

11 de maio

Minha mãe me disse: "Se você virar um soldado, vai se tornar general. Se virar um monge, vai se tornar papa." Em vez disso, virei pintor e me tornei Picasso.

— PABLO PICASSO

Eu não estaria onde estou hoje se não fosse pelo amor, a amizade e o apoio de minha maravilhosa mãe. Ela sempre acreditou em mim quando eu não acreditava em mim mesma. Sua crença me deu muita coragem para seguir em frente e realizar meus sonhos.

Minha mãe me ensinou a agir com integridade, lealdade, força e amor. Sei que sou extremamente abençoada por ter uma mãe tão incrível.

Objetivo: Agradeça a alguém de sua vida por todo o amor que essa pessoa lhe deu.

12 de maio

Quando somos consumidos pelo que os outros pensam de nós, permitimos que ditem nossa forma de viver e depois, sem perceber, perdemos o contato com quem somos.

Todos desejamos ser queridos e amados, mas quando focamos nisso em vez de nos amar em primeiro lugar, nos perdemos nas opiniões das outras pessoas e paramos de viver honestamente. Se alguém xingar você, não deixe que isso o incomode — não reaja. Alimentar esse tipo de coisa só afeta negativamente seu caráter.

Objetivo: O que o torna especial e único? Pense em uma de suas excentricidades e aceite-a todos os dias.

13 de maio

Não se atormente com a inveja. Ela é uma ilusão boba de que a vida dos outros é melhor que a sua, quando a verdade é que cada um de nós está em um caminho diferente.

Em alguns momentos, fico totalmente consumida pela inveja da vida, do corpo, das roupas e do talento de outras pessoas. Essa é uma emoção frequente. Não é à toa que a chamam de "monstro de olhos verdes". É autodestrutiva e, quando aparece, nos consome. Seja forte e não se concentre no que os outros têm.

Objetivo: Liberte toda a inveja que sente da vida de outras pessoas e permita-se sentir uma profunda gratidão por estar vivendo sua própria vida.

14 de maio

A mudança nunca é dolorosa, apenas nossa resistência à mudança é dolorosa.

— BUDA

A mudança é parte da vida e é impossível evitá-la. Então aceite que sua vida será cheia de mudanças e, mesmo que às vezes possam ser desconfortáveis, elas constroem nosso caráter e nos mantêm em frente.

Objetivo: Aceite as mudanças, sejam elas positivas ou negativas. Todas o impulsionam para a frente e começam um novo capítulo em sua vida. É natural ser grato pelas bênçãos.

15 de maio

Você pode mudar sua vida com uma simples alteração de perspectiva.

Às vezes, meu dia começa mal e fico desanimada ou frustrada. Chego a pensar "esqueça, o dia está arruinado". É uma sensação terrível e pode me deixar mal-humorada e agressiva, o que afeta os outros. Aprendi que posso recomeçar o dia a qualquer momento. Simplesmente me acalmo e o reinicio. Escolho alterar minha perspectiva e dizer a mim mesma que o dia que tenho pela frente será cheio de bênçãos e oportunidades maravilhosas. Listo dez ou mais coisas de que gosto em minha vida, e isso em geral melhora meu humor. Quando o humor muda, todo o meu dia também se altera, como uma reação em cadeia.

Objetivo: Comece um diário de gratidão. Diariamente liste as dez coisas pelas quais você é mais grato.

16 de maio

Não se esqueça de respirar.

Nascemos sabendo respirar, mas mesmo assim esse é o instinto que esquecemos com mais rapidez, sobretudo quando estamos estressados ou sobrecarregados.

Objetivo: Concentre-se em respirar em um lugar tranquilo. Isso pode melhorar muito seu dia e seu humor.

17 de maio

Quando alguém que ajudei ou de quem esperava muito me magoa profundamente, espero continuar a considerá-lo meu precioso mestre.

— DALAI LAMA

Ter compaixão pelos outros é vital para nossa própria felicidade. Sempre podemos aprender com as pessoas que nos magoaram. É impossível passar pela vida sem se machucar. Até nossos melhores amigos, que nos amam, nos deixam com raiva de vez em quando. Seu melhor amigo não é um amigo perfeito, é importante se lembrar disso. As pessoas que o cercam também são humanas. Não se esqueça de que elas cometem erros.

Objetivo: Aprenda com todo mundo, até mesmo com pessoas que o magoam e o decepcionam.

18 de maio

Caminhe com confiança em direção a seus sonhos. Leve a vida que imaginou.

— DESCONHECIDO

Se alguém disser que você não pode levar a vida que imaginou, não precisa provar o contrário — apenas continue fazendo o máximo que puder e saiba em seu coração que você pode chegar lá. Use a dúvida alheia como motivação.

Objetivo: Você merece toda a felicidade do mundo, então busque-a com toda a loucura e paixão de sua alma.

19 de maio

Não podemos depender sempre dos outros para ser feliz. Precisamos encontrar a felicidade dentro de nós mesmos.

Cheguei à conclusão de que o principal é saber ser feliz por conta própria. Nunca sinta vergonha do que sente porque, mais cedo ou mais tarde, todos nós sentimos as mesmas emoções. Talvez as expressemos de formas diferentes, mas são basicamente as mesmas. É por isso que nos identificamos uns com os outros. O principal é se lembrar de *nunca* deixar ninguém deixá-lo mal por causa do que está sentindo.

Objetivo: Se estiver em um dia ruim, não conte com os outros para animá-lo. Encontre a felicidade dentro de si mesmo.

20 de maio

Sempre que ascendo, sou seguido por um cachorro chamado ego.

— NIETZSCHE

Quando tomamos o controle de nossa vida e começamos a fazer nossa própria ascensão para o sucesso, precisamos deixar o ego para trás e não permitir que ele interfira na integridade e honestidade de nosso trabalho. Seu ego sempre vai estar logo atrás, perseguindo você, mordendo seus calcanhares enquanto você sobe na vida. Não deixe que ele o ultrapasse.

Objetivo: Avalie a situação atual do seu ego. Fique atento a ele e não se deixe dominar por ele.

21 de maio

Um sorriso pode salvar uma vida.

Sabia que existem evidências científicas de que um sorriso pode fortalecer seu sistema imunológico e ajudar você a ter uma vida mais longa e feliz, sem falar que deixa as pessoas que o cercam mais felizes, já que é contagiante? Certa vez, eu estava passando pela segurança de um aeroporto e do nada um dos seguranças sorriu para mim. Aquilo mudou meu dia inteiro. Quando você alegra o dia de alguém, o seu também melhora.

Objetivo: Sorria sempre — talvez alegre o dia de alguém. Nunca se sabe o impacto que um sorriso pode ter na vida de outra pessoa.

22 de maio

Quem atira terra perde terreno.

— PROVÉRBIO TEXANO

A vida se baseia em escolhas. Sempre temos uma escolha na hora de reagir a pessoas ofensivas. A coisa mais tentadora do mundo é responder com o mesmo tipo de comportamento que nos ofendeu. Pergunte a si mesmo que bem isso faria.

Objetivo: Da próxima vez que alguém o insultar, pergunte calmamente como essa pessoa se sentiria se você dissesse o mesmo a ela.

23 de maio

A verdadeira alegria vem de inspirar, encorajar e guiar uma pessoa por um caminho que a beneficie.

— ZIG ZIGLAR

Existe muita gente invejosa por aí. Às vezes, suas boas notícias criam tensão em um relacionamento. Apoie e se alegre quando os outros tiverem notícias e, com sorte, receberá o mesmo em troca.

Objetivo: Da próxima vez que um amigo ou membro da família compartilhar boas notícias com você, cuide para que sua alegria seja sincera.

24 de maio

A mudança acontece quando escutamos e depois começamos um diálogo com as pessoas que estão fazendo algo que não achamos certo.

— JANE GOODALL

O mundo tem mais de sete bilhões de habitantes, e mesmo assim cada um de nós tem apenas um cérebro e um conjunto de valores e opiniões. Por mais cultos, piedosos, gentis, abertos e dispostos que sejamos, muitas vezes estaremos errados. Não podemos ficar apegados a nossos valores e desdenhar os dos outros só porque não concordamos com eles.

Objetivo: Mantenha a mente aberta e acostume-se ao fato de estar errado. Amplie seus horizontes com novas áreas de interesse. Abrir a cabeça e considerar uma perspectiva diferente é benéfico para você.

25 de maio

Eu ando devagar, mas jamais ando para trás.

— ABRAHAM LINCOLN

A recuperação é um processo — não importa o que se está superando. Ninguém é melhor ou mais importante por se recuperar mais rapidamente. Não é uma corrida. Você precisa caminhar no seu próprio ritmo, mesmo que ele seja mais devagar. Em certos dias, você pensará em desistir — não desista. Em outros dias, você correrá risco de recaída — não desista. Enquanto mantiver seu próprio ritmo e jamais olhar para trás em sua recuperação, estará caminhando maravilhosamente bem, e isso é tudo que importa. Portanto, tenha orgulho do que conquistou para si mesmo.

Objetivo: Não compare o seu processo de recuperação ao de outras pessoas. Lembre-se que cada um cura-se fisicamente, mentalmente e emocionalmente em seu próprio tempo. Dê a si mesmo o tempo que precisa e merece.

26 de maio

O tempo passa muito rápido, as pessoas entram e saem da sua vida. Nunca perca uma oportunidade de dizer a elas o quanto significam para você.

— DESCONHECIDO

A perda faz parte da vida. Ao longo dos anos, perdi várias pessoas queridas. Nada pode trazê-las de volta, mas quando penso nelas, em seus valores e suas virtudes, mantenho seu espírito vivo dentro de mim, e esse é um sentimento importante. Mas o mais importante é lembrar de usar o tempo que temos com as pessoas que amamos da melhor forma possível.

Objetivo: Hoje, acenda uma vela e faça uma oração para alguém que você ama e que não está mais com você.

27 de maio

Neste momento, estou exatamente onde preciso estar.

Eu resistia a tudo e não confiava em meu poder superior. Com minha recuperação e a disposição para mudar, agora vejo que estou exatamente onde deveria estar. Encontro minha felicidade no momento presente.

Objetivo: Pense em seu momento atual: realizações, relacionamentos, carreira, e alegre-se com a vida que construiu.

28 de maio

Os pais só podem dar bons conselhos ou colocar os filhos no caminho certo, mas a formação final do caráter de uma pessoa está em suas próprias mãos.

— ANNE FRANK

Grande parte da minha jornada até aqui foi influenciada por meus pais, com seus dons e seus defeitos. Depois de minha recuperação, percebi que posso aprender com eles, e que alcançar a vida que quero é responsabilidade minha.

Objetivo: Agradeça a seus pais por terem lhe dado o dom da vida e por fazerem o melhor que podem.

29 de maio

Ser humilde não é pensar menos de si mesmo, é pensar menos em si mesmo.

— C. S. LEWIS

Muita gente fica em dúvida se deve dar dinheiro a pessoas sem-teto. Uma coisa que você pode fazer é comprar comida ou uma garrafa de água para uma dessas pessoas, para que ao menos saiba que vão ter algo nutritivo para comer ou beber. Uma vez vi um sem-teto e me lembrei de que tinha um lanche na bolsa. Eu fui até ele e disse: "Não quero ofender você, mas se estiver com fome, eu gostaria de lhe dar isto." Ele reagiu como se tivesse ganhado na loteria. Eu não consegui acreditar que algo tão simples o deixara tão feliz.

Objetivo: Saia da rotina para ajudar alguém sem teto ou que esteja precisando.

30 de maio

A criatividade não acaba.
Quanto mais você usa, mais você tem.

— MAYA ANGELOU

Lembro-me de que depois que escrevi minhas primeiras músicas, fiquei com medo de nunca mais conseguir criar nenhuma. Na época eu não sabia que o único jeito de ter mais criatividade é continuar criando.

Objetivo: Não economize sua criatividade — bote-a para fora. Algumas coisas vão ser extraordinárias e outras, medíocres. Nunca pare de tentar.

31 de maio

Você está destinado a ser o filho de Deus.

— ANÔNIMO

Cada um de nós está nesta terra por uma razão. Não existem duas pessoas iguais. Todos somos feitos com perfeição e criados para cumprir um objetivo neste mundo. Você é precioso, único e especial, então não deixe ninguém lhe dizer o contrário.

Objetivo: Celebre todas as coisas que o tornam único e especial.

Junho

1 de junho

O ato mais corajoso que existe é pensar por si mesmo. Em voz alta.

— COCO CHANEL

Cada um de nós nasce com um dom único e incrível que tem a função não só de mudar nossa vida como o mundo que nos cerca. Sei que isso é verdade porque já vi acontecer. Sejam quais forem seus pontos fortes, podem ser algo que alguém gostaria de ter. Então, use seus dons com sabedoria e ficará impressionado ao ver quanto pode inspirar os outros.

Objetivo: Inspire alguém hoje sendo você mesmo.

2 de junho

Ninguém é perfeito, mas podemos nos esforçar para ser pessoas melhores.

A vida é uma jornada, um processo que sempre nos proporciona novas oportunidades para crescer e evoluir. Cada dia e ano nos oferece a chance de ser cada vez mais fortes, felizes e piedosos.

Objetivo: Decida se tornar alguém melhor e seja uma inspiração para os que o cercam.

3 de junho

O para sempre — é composto de Agoras —

— EMILY DICKINSON

Chega de esperar o próximo grande acontecimento. Você o está vivendo agora. O próximo momento vai chegar quando estiver pronto, desde que você continue presente. É parte da natureza humana nos distrair constantemente por tudo o que queremos na vida, para onde seguimos, o que deixamos para trás. Concentre-se com todas as forças no ponto em que está neste momento.

Objetivo: Absorva o momento em que você está e o entregue à memória.

4 de junho

Você tem tudo o que precisa dentro de si. O segredo é viver honestamente para se conectar e manter contato com quem você realmente é.

Uma parte imensa da minha recuperação foi aprender que eu não precisava procurar nada fora de mim mesma. Eu tinha as respostas e a paz interior dentro de mim. Finalmente entender isso é muito libertador.

Objetivo: Fique diante do espelho hoje e diga a si mesmo: "Eu tenho tudo o que preciso dentro de mim."

5 de junho

Nosso medo mais profundo não é sermos inadequados. Nosso medo mais profundo é sermos poderosos demais. É nossa luz, não nossa escuridão, que mais nos assusta.

— MARIANNE WILLIAMSON

Às vezes é muito assustador perceber do que somos capazes neste mundo. Cada um nasce com o próprio poder de realizar coisas extraordinárias. Dizem que com grandes poderes vêm grandes responsabilidades, então assuma a responsabilidade de fazer algo maravilhoso com sua vida — desfrute-a.

Objetivo: Use os recursos que tem para fazer algo importante hoje.

6 de junho

Não chore porque acabou;
sorria porque aconteceu.

— DR. SEUSS

Às vezes as coisas boas chegam ao fim. Em vez de pensar que elas terminaram, veja o lado positivo de terem acontecido. Fiquei muito triste quando voltei para casa depois de passar um tempo na África com meus amigos e minha família. Todos nós choramos quando chegou a hora de ir — ninguém queria deixar um lugar tão incrível. Mas agora consigo olhar para trás sem chorar. Sou muito grata pelo tempo que passei lá com as pessoas que eu amo, e mal posso esperar para voltar.

Objetivo: Pense em um momento feliz da sua vida e seja grato pela alegria que teve. Reflita sobre momentos felizes, mesmo que já tenham passado.

7 de junho

Sou metade angústia, metade esperança.

— JANE AUSTEN

Ter apoio é importante para todos. Em alguns momentos, lidei com coisas pesadas, mas o que me ajudou a enxergar novamente a felicidade foi a fé que meus fãs tinham em mim e a esperança que me deram. Descobri que tenho muito apoio dos meus fãs e das pessoas que me cercam. Não consigo explicar o quanto isso me deixa feliz.

Objetivo: Dê esperança a alguém que esteja passando por dificuldades. Diga a essa pessoa que você está ao lado dela.

8 de junho

O amor não é um estado perfeito de bem-querer. É um substantivo ativo, como a luta. Amar alguém é se esforçar para aceitar aquela pessoa exatamente como ela é, aqui e agora.

— FRED ROGERS, *MISTER ROGERS' NEIGHBORHOOD*

Uma das coisas mais difíceis dos relacionamentos é aceitar o outro como ele é. Perdi a conta de quantas vezes quis mudar uma ou outra coisa em um amigo ou pessoa querida, mas sempre me lembro de que ninguém é perfeito, nem eu.

Objetivo: Se perceber que está criticando alguém, lembre-se de que ninguém é perfeito — incluindo você.

9 de junho

Um mundo tão cheio de ódio que alguns preferem morrer a ser quem são.

— MACKLEMORE, "SAME LOVE"

Muitos jovens tiram a própria vida porque bullies os fazem sentir desprezíveis. Como alguém que sofreu bullying, sei que as coisas horríveis que essas pessoas dizem podem ser destrutivas e devastadoras. No cyberbullying, as pessoas se sentem ainda mais livres para se esconder atrás do computador e dizer as coisas mais odiosas. Depende de cada um de nós defender qualquer um que esteja sofrendo bullying ou sendo destroçado por palavras cruéis.

Objetivo: Defenda alguém hoje, e cuide para que essa pessoa saiba como é valiosa para este mundo.

10 de junho

Não fique esperando os outros serem felizes por você. Toda a felicidade que tiver, precisa obter por conta própria.

— ALICE WALKER

Você não pode amar alguém completamente enquanto não amar a si próprio. Por melhor que seja ter um relacionamento, se você não é feliz consigo mesmo, ter um namorado ou uma namorada não muda isso. Você só fica com a pessoa que gosta enquanto está acordado. É sua consciência que adormece no travesseiro todas as noites, não a do outro.

Objetivo: Esteja solteiro ou namorando, reserve um tempo para se conhecer melhor e criar um laço consigo mesmo.

11 de junho

Você não merece ter um ponto de vista
se só olha para si mesmo.

— PARAMORE, "PLAYING GOD"

Muitas pessoas têm um ego enorme e se consideram mais importantes e corretas que os outros. Não importa sua origem ou quem você pensa que é, todos somos seres humanos e temos um coração. Muitas vezes as pessoas julgam os outros e presumem que estão certas, mas você não pode simplesmente presumir que seu ponto de vista é correto. É preciso estar disposto a olhar para fora de si mesmo. Existe muita gente no mundo, e se você só procura respostas dentro de si mesmo está vivendo em uma bolha.

Objetivo: Pense duas vezes antes de julgar alguém, coloque-se no lugar dos outros e lembre-se de que todos têm direito às próprias opiniões e perspectivas. Eles veem o mundo de um jeito diferente.

12 de junho

Nosso destino não depende dos astros,
mas de nós mesmos.

— SHAKESPEARE

Sempre temos escolhas na vida. Fazemos nossas oportunidades, e devemos encontrar força interior para realizar nosso destino. Nunca sabemos do que somos capazes até tentarmos.

Objetivo: Pare de deixar coisas importantes ao acaso. Tome o controle e crie o resultado que quer.

13 de junho

Sem amor-próprio e autoaceitação eu não teria chegado a lugar algum.

Não é fácil aprender a se amar e se aceitar do jeito que é. Aprendi muito sobre mim durante o tratamento e a recuperação. Isso permitiu que eu descobrisse o poder do amor-próprio e da autoaceitação. Ainda aprendo todos os dias. Mas no final das contas, preciso me amar antes que qualquer outra pessoa possa me amar. Aprender isso foi difícil, mas fez toda a diferença.

Objetivo: Encontre a parte de você que mais lhe desagrada e comece a amá-la.

14 de junho

Sou vasto, tenho multidões dentro de mim.

— WALT WHITMAN

Uma das razões para eu ter sido muito infeliz por anos era nunca aceitar minhas emoções; eu estava sempre tentando ficar no controle. A princípio, eu não conseguia enxergar que as coisas pioravam porque eu não dava a atenção necessária às minhas emoções. O que eu achava que me mantinha sã, na verdade estava me deixando perdida e totalmente descontrolada, mas quando passei a aceitar meus sentimentos comecei a me sentir completa outra vez.

Objetivo: De que emoção você está fugindo? Pare, respire fundo e permita-se senti-la. A princípio, pode parecer que é pior, mas depois que você aceitá-la não vai ser tão assustador.

15 de junho

Você vai achar necessário se desfazer das coisas pelo simples fato de que são pesadas.

— C. JOYBELL C.

Todos os dias temos novas oportunidades de crescer, e parte desse crescimento é aceitar que existem certas coisas que não podemos mudar. Quando nos apegamos ou ficamos obcecados por essas coisas, nos perdemos.

Quando nos desapegamos, libertamos o coração, a mente e o corpo para algo ainda maior. Quando abri espaço no meu coração, muitas coisas maravilhosas começaram a me acontecer.

Objetivo: Livre-se de algo ou alguém tóxico. Se for preciso, jogue fora alguma coisa que estava guardando ou escreva uma carta a alguém que está tentando deixar para trás.

16 de junho

Com frequência, procuramos respostas, felicidade e a chance de ser completos fora de nós mesmos.

Hoje em dia sei que quando era consumida pelos meus vícios, eu estava procurando respostas, felicidade, paz e amor fora de mim mesma. Na época, eu não sabia que isso me causava muito sofrimento. A recuperação me ensinou que preciso encontrar as respostas e a força dentro de mim mesma.

Objetivo: Pense no que realmente quer e não no que os outros esperam de você.

17 de junho

Só faça o que seu coração mandar.

— PRINCESA DIANA

Em muitos momentos da vida lutamos para tomar decisões, sejam grandes ou pequenas. O coração, a cabeça e os amigos podem dizer coisas completamente diferentes. É importante pesar todas as opções, depois fazer o que seu coração realmente acredita que é certo. Não faça apenas o que seus amigos disserem — você precisa tomar suas próprias decisões com base na intuição.

Objetivo: Da próxima vez que precisar tomar uma decisão, pese todas as opções — especialmente as do seu coração.

18 de junho

Se apenas uma vez você fizer o que os outros dizem que você não consegue, nunca mais vai dar atenção às limitações deles.

— CAP. JAMES R. COOK

Uma das sensações mais libertadoras do mundo é mostrar sua capacidade a alguém que não acreditava em você. Na primeira vez que você experimenta essa sensação maravilhosa, aprende que é uma perda de tempo ouvir quem lhe diz que você não pode fazer alguma coisa. É melhor passar seu tempo mostrando aos outros e a si mesmo o que você PODE fazer. Lembre-se, o céu é o limite.

Objetivo: Faça alguma coisa que alguém sempre disse que você não conseguiria fazer.

19 de junho

Com a dor, o sofrimento e o luto vêm muitas oportunidades de crescer e mudar, desde que você esteja disposto.

É quando sua fé e sua força são testadas que você tem a oportunidade mais incrível de crescer. A atitude que vai ter diante disso depende de você. Às vezes é difícil pedir ajuda, mas nunca é prejudicial recebê-la. Fiz um voto pessoal de sempre pedir ajuda quando estiver em um momento difícil e de aceitar essa parte da minha jornada com a mente aberta. Sei que esses obstáculos são uma maneira de me tornar mais forte e desenvolver minha fé, mas não vou chegar a lugar nenhum se não estiver aberta e aceitar a ajuda dos outros.

Objetivo: Se estiver lidando com algo doloroso, mantenha a mente aberta e peça ajuda. Você não precisa enfrentar nada sozinho — existem muitos recursos disponíveis para ajudá-lo.

20 de junho

A felicidade não depende do que você tem ou é;
baseia-se unicamente no que você pensa.

— BUDA

Cada um de nós tem a capacidade de experimentar uma alegria profunda, mas isso às vezes dá trabalho. Se você estiver se sentindo para baixo, preste atenção no tipo de pensamento que está tendo. Talvez possa até escrevê-los para enxergar melhor sua visão atual da vida. Se perceber que tem mais pensamentos negativos do que positivos, você precisa fazer um esforço consciente para começar a alterá-los.

Objetivo: Faça uma lista de todos os seus pensamentos negativos, depois anote o pensamento oposto de cada um. Fique diante do espelho e leia os pensamentos positivos para si mesmo em voz alta.

21 de junho

Você não está aqui por acaso. Use seus dons.

Sejam quais forem os seus dons, use-os para tornar o mundo um lugar melhor. Ninguém mais os tem, então aplique seus pensamentos e ideias para ajudar a mudar o mundo. Você nunca vai saber que impacto pode causar no mundo se não acreditar em si mesmo e tentar fazer a diferença.

Objetivo: Escolha as causas que mais o interessam e faça alguma coisa em prol delas.

22 de junho

A dor passa, mas a beleza fica.

— PIERRE-AUGUSTE RENOIR

Quando estamos passando por momentos complicados e opressivos, é difícil imaginar algo além do nosso imenso sofrimento. Mas sempre existe uma luz no fim do túnel. Aprendi que a dor sempre passa, mas a beleza resultante da transformação causada por ela dura para sempre. Saiba que um dia você vai conseguir olhar para trás e ficar grato pelo que o fez crescer.

Objetivo: Não se afunde na dor — ela vai passar.

23 de junho

Muitos não estão vivendo seus sonhos porque estão vivendo seus medos.

— LES BROWN

Os medos o afastam de todas as possibilidades. Não deixe o medo impedi-lo de fazer nada, principalmente de realizar seus sonhos. O medo tem uma aparência de realidade, mas é falso. Em outras palavras, seus medos não são reais porque são baseados em coisas que ainda não aconteceram, portanto não existem.

Objetivo: Troque o medo por um desejo ou um sonho para sua vida.

24 de junho

Nos tornamos aquilo que pensamos.

— BUDA

Nossos pensamentos são tão poderosos que sempre devemos ser cuidadosos e atentos com o que dizemos a nós mesmos. Com o poder do pensamento, temos a capacidade de transformar qualquer coisa que quisermos em realidade. Muitas vezes entramos em um padrão de pensamento negativo sem nem perceber e, sem nos dar conta, trazemos para a nossa vida exatamente o que tememos. A boa notícia é que esse princípio também funciona para os pensamentos positivos. Pensando em coisas maravilhosas, mudamos nossa vida de forma subconsciente com a energia dessa perspectiva.

Objetivo: Hoje, passe o dia alimentando pensamentos condizentes com seus sonhos. Elimine os pensamentos que o colocam para baixo.

25 de junho

Escolho não ser uma vítima.

Seria muito fácil fazer o papel de vítima depois de tudo o que passei na vida, mas isso não me ajudaria nem inspiraria outras pessoas. Escolhi deixar minhas experiências passadas me ensinarem e fortalecerem para que eu possa ajudar os outros.

Objetivo: Pense em algo traumático que tenha acontecido na sua vida e encontre uma maneira de usar isso para um bem maior.

26 de junho

Seja legal com os nerds; é provável que você acabe trabalhando para um deles.

— BILL GATES

Sempre trate os outros com a gentileza que você quer receber. O status ou qualquer outra posição social nunca deve influenciar sua maneira de lidar com as pessoas. Você sempre deve tratar os outros com gentileza e amor.

Objetivo: Nunca presuma que alguém é inferior a você, ou você se tornará inferior aos outros.

27 de junho

Se você não souber para onde está indo, qualquer caminho o levará até lá.

— LEWIS CARROLL

É mais importante ter um desejo de crescer e se manter aberto às infinitas possibilidades do que saber exatamente para onde está indo. Isso muda conforme você muda.

Objetivo: Fique aberto a toda e qualquer possibilidade que apareça para você. Nunca se sabe onde vai achar sucesso e alegria.

28 de junho

Se você não se ama com seus defeitos e imperfeições, não pode esperar que ninguém mais o ame.

Às vezes, a coisa que mais nos deixa inseguros é o traço que os outros mais gostam em nós. Você não precisa ser igual aos outros. Cada pessoa foi feita de um jeito diferente, então encontre suas falhas e imperfeições e comece a aceitá-las, porque são parte de você.

Objetivo: Tenha orgulho da sua originalidade. Não existe ninguém no mundo igual a você.

29 de junho

Cerque-se apenas de gente com quem consiga se comunicar.

A comunicação é vital para todos os relacionamentos. A personalidade de algumas pessoas simplesmente não combina com a nossa. Não perca tempo tentando entender por quê. Vá para onde é querido e compreendido, e todo o resto se resolve.

Objetivo: Se você tiver dificuldade de se comunicar com alguém de sua vida, tente resolver isso. Não se esqueça de manter um tom de voz gentil e respeitoso para se conectar a essa pessoa.

30 de junho

Precisamos deixar para trás a vida que planejamos para aceitar a que está esperando por nós.

— JOSEPH CAMPBELL

É bom ter ideias, planos e sonhos, mas eles nem sempre saem como imaginamos. Criar situações elaboradas em sua cabeça pode acabar em decepção, então é sempre melhor manter a mente aberta e esperar as mudanças.

Objetivo: Pode ser difícil, mas aceite o que a vida lhe der.

Julho

1 de julho

A vida é curta demais, então você precisa fazer o que ama. Não há tempo a perder.

Eu me lembro vividamente de que aos 5 anos queria ser uma superestrela — a próxima Shirley Temple. Me apaixonei pelo canto, pela dança e pela atuação e me determinei a seguir essa paixão. Fico feliz por ter começado a sonhar alto tão nova, porque isso me permitiu focar exatamente no que queria. Seja qual for sua idade, você precisa buscar seu sonho até conquistá-lo. Os sonhos não se realizam quando você espera por eles sem fazer nada. Eles nunca são perfeitos, e podem nunca ser como você imaginou. Mas você precisa fazer o que o deixa feliz.

Objetivo: Pare de adiar um sonho importante. Faça o que puder para realizá-lo.

2 de julho

Quando encontramos homens com o caráter oposto, devemos nos voltar para dentro e examinar a nós mesmos.

— CONFÚCIO

Geralmente, quando as ações ou comportamentos dos outros nos incomodam, são o reflexo de alguma dificuldade nossa. Temos a tendência de espelhar nossas dificuldades nos outros. Se reconhecermos disso, especialmente para nós mesmos, não vamos projetar nossas dificuldades nos outros. É interessante nos aprofundar e nos perguntar o que está incomodando. Às vezes, o que encontramos é incrível.

Objetivo: Que característica de um amigo ou membro da família está irritando você? Descubra se ela não está mais relacionada a você do que imaginava e comece a resolvê-la.

3 de julho

Toda criança é uma artista. O problema é continuar sendo artista depois de crescer.

— PABLO PICASSO

Manter um senso de inocência, juventude e liberdade é vital para ser feliz. Todos somos artistas e recebemos o poder inerente de criar e moldar nossa própria vida. Com isso em mente, é vital não perdermos a alegre capacidade de se admirar e a curiosidade sobre si mesmo e sobre o mundo que nos cerca.

Objetivo: Crescer não significa se desfazer de seus hobbies para se tornar maduro. Reserve tempo para as coisas de que você sempre gostou.

4 de julho

Pois ser livre não é meramente livrar-se das correntes, mas viver de uma maneira que respeite e aprimore a liberdade dos outros.

— NELSON MANDELA

Parte de viver verdadeira e honestamente é ter certeza de que as pessoas que o cercam também desfrutam da mesma liberdade física e emocional. Tenho a sorte de viver em um país livre, mas todos os dias acontecem injustiças sociais, não apenas nos Estados Unidos, mas no mundo inteiro. Parte de nossa responsabilidade como seres humanos piedosos é fazer tudo o que pudermos para garantir e aumentar a liberdade daqueles que nos cercam.

Objetivo: Valorize e aproveite a sua liberdade, e ajude as pessoas que o cercam a fazer o mesmo.

5 de julho

O melhor remédio para a vergonha é a confiança de rir de si mesmo.

Já caí no palco várias vezes. A verdade é que sou desastrada, e aprendi a aceitar e até a amar essa característica. Toda vez que caio no palco, posso escolher ficar envergonhada e sair correndo ou posso me levantar, fazer uma pose e sorrir. Se eu conseguir fazer os outros rirem antes que riam de mim, o tombo não dói.

Objetivo: Ria de si mesmo. Não leve tudo tão a sério.

6 de julho

A oração não é uma distração para velhas ociosas. Se for bem-compreendida e aplicada, é o instrumento mais potente de ação.

— MAHATMA GANDHI

Muita gente acha que a reza precisa ser um ritual formal que acontece em uma igreja, sinagoga ou mesquita. Quando rezo, falo com Deus como se ele fosse meu melhor amigo. Não escondo o que estou sentindo e não espero até chegar a um lugar sagrado. Sei que onde quer que eu esteja, vou ser ouvida. Mesmo que você não acredite em Deus e reze para o universo, estará sendo honesto consigo mesmo. Colocar sua energia no mundo mostra que você está aberto a mudar, aprender e receber ajuda.

Objetivo: Reze para aquilo em que acredita e peça ajuda ou sabedoria para resolver o que o estiver preocupando.

7 de julho

Quando valorizamos o que temos em vez de pensar nos problemas, tudo muda para melhor.

Depois do tratamento, percebi que tinha que mudar minha forma de pensar sobre muitas coisas. Uma das maiores mudanças foi focar em tudo o que eu tinha em vez do que não tinha. Quanto mais me concentrava no que tinha, nas coisas e pessoas que me deixavam grata, mais essas coisas e pessoas apareciam em minha vida. Quando você começa a visualizar e criar poderosas imagens positivas em sua mente, elas aparecem quase que por mágica. É o poder da gratidão.

Objetivo: Faça uma lista das cinco pessoas mais importantes da sua vida, com quem você pode contar para qualquer coisa.

8 de julho

Ninguém merece nada menos que ser amado.

Merecemos sentir todas as formas de amor. As pessoas mais odiosas e indignas de amor são aquelas que não o receberam durante a infância. Nossa função é dar aos que nos cercam tanto amor quanto damos a nós mesmos. Você não precisa necessariamente conviver com pessoas tóxicas e cheias de ódio, mas pelo menos mande pensamentos positivos para elas.

Objetivo: Seja grato por ser capaz de sentir, dar e receber amor. É uma benção.

9 de julho

Se alguém acha que paz e amor é apenas um clichê que deve ser deixado nos anos 1960, é problema dele. Paz e amor são eternos.

— JOHN LENNON

Às vezes acho que podia ter vivido nos anos 1960, porque foi uma época incrível para a música, os direitos civis, a moda, a política e a cultura. Mas uma das partes mais inspiradoras daquele tempo foi o movimento pela paz. Para mim, ver tantas pessoas de todas as gerações se juntarem para apoiar a paz e o amor é inspirador e lindo. Rezo para que possamos continuar a praticar a tolerância, a gentileza, a compaixão, a paz e o amor todos os dias de nossas vidas. Precisamos deles mais do que nunca, e depende de cada um praticar e disseminar esses valores.

Objetivo: Divulgue a mensagem da paz e do amor aonde quer que vá. Distribua abraços gratuitos hoje.

10 de julho

Faça o que o deixa feliz e o universo abrirá portas onde só havia paredes.

— JOSEPH CAMPBELL

Em um mundo cheio de desafios e incertezas, a regra mais simples para mim é fazer o que me deixa feliz. O mundo se abre de formas imprevisíveis quando nos atrevemos a pensar em todas as possibilidades. Faça o que o deixa feliz e coisas boas vão acontecer.

Objetivo: Busque as coisas que lhe proporcionam mais satisfação e felicidade.

11 de julho

Chorar é um alívio; a tristeza é exaurida e levada embora pelas lágrimas.

— OVÍDIO

Por mais forte e resistente que você se considere, todos precisamos liberar nossas emoções. Algumas pessoas choram muito, outras, quase nunca. Mas sei que quando realmente preciso chorar e choro, sinto-me uma nova pessoa. É uma forma de me libertar — de expressar minha tristeza.

Objetivo: Não é saudável guardar emoções fortes, então se permita liberá-las.

12 de julho

A única coisa que um homem consegue quando dorme são sonhos.

— TUPAC

Você precisa trabalhar muito pelo que quer, ou seus sonhos nunca vão se realizar. Você não pode esperar sentado as coisas acontecerem. Deus ajuda a quem se ajuda, e quem se ajuda tem sucesso.

Objetivo: Cada um de nós tem um propósito — viva seus sonhos.

13 de julho

Então vá em frente. Caia.
O mundo é diferente visto do chão.

— OPRAH WINFREY

Fracassos, erros, aprendizado e novos começos são parte da vida. Se eu tivesse interpretado minha necessidade de ir para a reabilitação como um sinal de fracasso, não estaria onde estou hoje. Mas escolhi recomeçar, lidar com meus problemas e me reerguer. Pode acreditar, não foi fácil. Em alguns momentos, teria sido mais cômodo desistir e ficar onde eu estava. Mas às vezes precisamos chegar ao fundo do poço para enxergar uma saída. Nossos fracassos não nos definem — eles nos moldam e aprimoram.

Objetivo: Pense em que fracassos o tornaram melhor.

14 de julho

A gratidão é a chave da felicidade.

Sou muito grata por todos os meus amigos, família e fãs que me ajudaram a continuar firme no caminho para a recuperação. Sinto uma profunda gratidão por cada pessoa que foi forte por mim, porque isso me deu a força de que eu precisava para acordar e começar a me recuperar.

Objetivo: Hoje, agradeça a todos que o cercam por estarem em sua vida, especialmente àqueles que ficaram ao seu lado nos tempos difíceis.

15 de julho

Nunca se desculpe por existir.

Muitas pessoas pedem desculpas por coisas que não são culpa delas. Todos fazemos isso. Quando damos um susto em alguém, ou quando alguém esbarra em nós, pedimos desculpas mesmo não tendo culpa. Estamos apenas tentando ser educados. Mas, na verdade, estamos dizendo a nós mesmos que não temos o direito de estar onde estamos! Você merece seu lugar na terra, seja onde for.

Objetivo: Tenha orgulho de estar onde está hoje e do quanto percorreu em sua jornada. Você está exatamente onde deveria.

16 de julho

Às vezes é preciso mentir.
Mas para si mesmo diga sempre a verdade.

— LOUISE FITZHUGH

Não se sinta mal quando cometer um erro, porque ele já passou e você não pode voltar no tempo para corrigi-lo. Mas você precisa ser honesto consigo mesmo em relação ao seu erro. Todos estamos passando juntos pela vida, aprendendo ao longo do caminho, mas quando fizer alguma coisa errada, é muito importante admitir, mesmo que tenha sido por acidente. Desculpe-se, reconheça o erro, siga em frente e se liberte.

Objetivo: Desculpe-se com alguém por um erro recente que tenha cometido, seja ele grande ou pequeno.

17 de julho

Sempre aja como se estivesse usando uma coroa invisível.

— DESCONHECIDO

Como dedicamos muito de nós mesmos ao trabalho, é importante fazer o melhor que podemos. Não importa o que as pessoas pensam da sua criação, comemore seu trabalho e sua criatividade. Quanto mais treino e experiência tivermos, mais criativos nos tornamos. Cada projeto seu será melhor que o anterior. Isso não tem a ver com perfeição, mas como aprimoramento.

Objetivo: Independente de como se sinta, não esqueça de reconhecer seu trabalho árduo, sua perseverança e sua criatividade.

18 de julho

Não se entregue ao desespero; se o fizer, não conseguirá conversar com seu coração.

— PAULO COELHO

O amor ilumina todas as coisas e o medo distorce a verdade e enche sua mente de negatividade. O medo lhe dá uma desculpa para se esconder atrás de seu coração. Todo mundo tem medo. É preciso muita força para superar o medo e se deixar levar pelo coração.

Objetivo: Ouça seu coração e confie nos seus instintos.

19 de julho

O que você consegue na vida
é o que tem coragem de pedir.

— OPRAH WINFREY

As pessoas entram e saem da sua vida. Nem todas sabem como tratar você, mas não se apegue a isso — simplesmente deixe para lá. As pessoas que ficam são aquelas que te fazem muito feliz. Mas não dependa dos outros para isso, porque às vezes vai se decepcionar.

Objetivo: Se alguém te decepcionar, pergunte a si mesmo: "Vai fazer diferença daqui a um ano?". Isso vai ajudá-lo a se desprender e obter perspectiva.

20 de julho

Todo homem tem suas dores secretas, que o mundo não conhece; e, muitas vezes, dizemos que um homem é frio quando ele é apenas infeliz.

— HENRY WADSWORTH LONGFELLOW

Não leve nada para o lado pessoal. Nada do que as pessoas dizem ou fazem tem a ver com você, é uma projeção do que sentem por dentro. Quando as pessoas são gentis com você, é porque são gentis e amorosas consigo mesmas. Quando as pessoas são agressivas por palavras e ações, não é porque você fez algo errado, mas porque elas estão sofrendo. Tenha piedade de quem é agressivo com os outros. Não sabemos que dificuldades essas pessoas têm em casa.

Objetivo: Da próxima vez que alguém disser algo que magoar você, visualize essas palavras como uma gota d'água que escorre de seu corpo.

21 de julho

Todas as crianças precisam de um pouco de ajuda, um pouco de esperança e alguém que acredite nelas.

— MAGIC JOHNSON

A esperança é uma grande dádiva para um jovem. Muitas crianças vêm de lares desfeitos e são privadas de amor, incentivo emocional e apoio. Quando você dá esperança a uma criança, ela enxerga todos os sonhos dos quais é capaz.

Objetivo: Desvie sua atenção de si mesmo e faça trabalho voluntário com crianças menos afortunadas que você.

22 de julho

Nem tudo o que enfrentamos pode ser mudado, mas nada pode ser mudado sem ser enfrentado.

— JAMES BALDWIN

O dano e o impacto que o bullying causou na minha vida foram imensos. Por muito tempo, deixei a tristeza definir quem eu era. Foi importante para mim encontrar um equilíbrio entre a aceitação e o desprendimento. Dei um grande passo quando confrontei a garota que me maltratava. Eu disse a ela que suas palavras tinham deixado cicatrizes e me feito sentir desprezível. No final, levaram a outros problemas emocionais e físicos que ainda estou superando. Ela mal se lembrava de seus atos e tinha certeza de que eu já esquecera tudo aquilo agora que estava fazendo sucesso. Fiquei muito chocada diante da diferença de nossas percepções, mas acima de tudo, senti que um enorme peso tinha sido tirado do meu peito. Eu a perdoei, o que me deixou mais forte e lúcida, e era exatamente disso que eu precisava desde o começo.

Objetivo: Pense em alguém do passado que o magoou. Tenha compaixão e enxergue mais do que seus defeitos.

23 de julho

É mais fácil prevenir maus hábitos que eliminá-los.

— BENJAMIN FRANKLIN

Este é o momento de acabar com os maus hábitos. Eles só impedem sua recuperação. Às vezes, nem percebemos o que nossos maus hábitos fazem conosco. Temos medo de nos desfazer deles, mas agora é a hora de deixá-los para trás.

Objetivo: Faça uma lista de seus hábitos. Eles estão afetando positivamente sua vida?

24 de julho

Tudo vai dar certo no final, se não deu certo, ainda não terminou.

— ANÔNIMO

Quando você passa por uma época difícil, pode pensar que a vida está arruinada ou terminada. Mas está completamente equivocado. Quando entrei em tratamento, estava convencida de que minha vida tinha terminado. Achei que não ia ter uma carreira e que as pessoas não iam mais gostar de mim. Achei que era o fim, mas na verdade era o primeiro dia do resto da minha vida. Independentemente do que você esteja enfrentando, pode recomeçar e encontrar a positividade de uma página em branco.

Objetivo: Permita-se levar o tempo que precisar para digerir o que estiver enfrentando na vida. Nunca é tarde demais para recomeçar.

25 de julho

Sua paixão é infinita.

Quando você se conecta com a sua paixão interior, não existem limites. A paixão é a força motivadora de todas as artes, e depende de você usar sua vida para criar algo bonito.

Objetivo: Lembre-se de que você é capaz de grandes coisas se trabalhar duro.

26 de julho

Faça sua parte para tornar este mundo um lugar melhor.

Acredito firmemente em tornar o mundo um lugar melhor para as próximas gerações. Ser uma figura pública me deu muitas oportunidades de retribuir, de ser voluntária e de tocar muitas vidas que passam pelo meu caminho. Tive o privilégio de falar em prol de crianças e adultos do mundo inteiro, que lidam com bullying, distúrbios alimentares e problemas mentais. Todos se importam com alguma causa, então escolha algo pelo que é apaixonado e faça a diferença.

Objetivo: Ofereça-se como voluntário em uma organização local sem fins lucrativos.

27 de julho

Ter sucesso é se tornar quem você realmente é.

— ANÔNIMO

Uma das coisas mais difíceis na vida é descobrir quem você deve ser. Se já está em uma jornada para se tornar quem é, você já é um sucesso, porque chegou mais longe que a maioria das pessoas.

Objetivo: Estenda a mão a um amigo que esteja perdido. Talvez você possa ajudá-lo a encontrar o caminho para achar a própria identidade.

28 de julho

Ninguém é tão poderoso quanto pensamos.

— ALICE WALKER

A maioria de nós, em um momento ou em outro, se esconde atrás do personagem preferido da ficção ou da mitologia; para mim sempre foi a Cinderela. Ela vive sob a sombra de suas irmãs e é forçada a se tornar uma serva até o dia em que sua infeliz situação se transforma em sorte. Quando era mais nova, eu era conhecida como a irmã mais nova de Dallas Lovato. Ela nunca teve essa intenção, mas eu sempre me senti a sua sombra. Mesmo que tivesse orgulho de ser irmã dela, nunca achei que podia brilhar completamente. Foi preciso muito esforço para sentir que podia brilhar por conta própria. Sei que superar esse obstáculo foi parte da minha jornada para me amar de verdade. Hoje tenho um relacionamento mais íntimo com a minha irmã porque deixei para trás a inveja que sentia dela.

Objetivo: Não se contente em ser a sombra de ninguém. Liberte-se e ame a si mesmo.

29 de julho

Sempre tenha esperança. A melhor sensação do mundo é saber que existem infinitas possibilidades.

— ANÔNIMO

Em nossas horas mais sombrias, sempre podemos ver um raio de luz ou encontrar um grão de esperança. Agarre-se a essa esperança e deixe a emoção de todas as possibilidades motivá-lo.

Objetivo: Quando estiver infeliz, procure o vislumbre de esperança dentro de você e deixe sua mente vagar com a promessa do que está por vir.

30 de julho

Tudo passa.

— ANÔNIMO

Quando reflito sobre algumas das experiências dolorosas que enfrentei, percebo como pode ser difícil superar a tristeza e a dor. Mas sei que o tempo ameniza o sofrimento, e por mais que demore, vamos melhorar em algum momento. Você vai aceitar o que passou.

Objetivo: Mesmo que não esteja se sentido bem hoje, saiba que as coisas vão melhorar, e deixe esse pensamento alegrá-lo por enquanto. *Vai* melhorar.

31 de julho

Seja você mesmo, todos os outros já existem.

— OSCAR WILDE

Todos nos sentimos perdidos às vezes. Olhamos para nossos amigos, nossos colegas, para as pessoas com quem moramos e até mesmo para desconhecidos e pensamos que talvez a resposta para a felicidade seja ser outra pessoa ou alterar quem somos. Garanto que isso vai deixar você muito infeliz. Uma coisa é se inspirar e ser influenciado por alguém que tem bom gosto e valores positivos, outra é achar que se tornar alguém diferente vai fazê-lo feliz.

Objetivo: Seja você mesmo, hoje e sempre.

Agosto

1 de agosto

Com esperança você pode superar qualquer coisa.

Em muitos momentos da minha vida me senti perdida, fraca, confusa e tomada pela dor. Todos os meus altos e baixos me ensinaram que sempre preciso ter fé. Sei que enquanto tiver esperança e fé estarei bem.

Objetivo: Pense em uma época da sua vida em que se sentiu sem esperança e lembre-se de como passou por ela. Aplique isso a futuras dificuldades. Você pode superar qualquer coisa.

2 de agosto

O amor é a resposta, e você sabe disso; o amor é uma flor, você precisa deixá-lo crescer.

— JOHN LENNON, "MIND GAMES"

Todos os tipos de relacionamento exigem amor e respeito. Essas coisas não acontecem da noite para o dia. Não deixe de alimentar o relacionamento que você tem consigo mesmo e o que tem com sua família e amigos. Não basta dizer que os ama. É preciso dedicar tempo e se esforçar para demonstrar seu amor através de suas palavras e ações.

Objetivo: Demonstre seu amor por alguém com ações. Às vezes dizer "eu te amo" não é o bastante.

3 de agosto

É preciso coragem para crescer e se tornar quem você realmente é.

— E. E. CUMMINGS

Crescer é difícil, e quando achamos que terminamos de crescer, percebemos que estamos só começando. Quando entrei em tratamento, achei que meus problemas tinham acabado. A verdade é que precisamos continuar trabalhando em nós mesmos para seguir em frente e aceitar a mudança.

Objetivo: Supere qualquer obstáculo em seu caminho para se tornar a pessoa que realmente é.

4 de agosto

Para toda ação, existe uma reação igual e oposta.

— TERCEIRA LEI DE NEWTON

Quando meu pai faleceu, tive uma sensação extremamente profunda de perda e luto. Por maior que fosse minha dor, eu vi que existia uma sensação igual de esperança. Para mim, foi importante honrar meus sentimentos, mas também usar a dor que estava sentindo para fazer algo grandioso.

Meu pai e eu não nos relacionávamos muito bem, porque ele tinha problemas de saúde mental e dependência, mas decidi honrá-lo começando o programa Lovato na Cast Recovery, para ajudar uma pessoa por vez que estivesse lidando com vício ou problemas de saúde mental. Essa foi minha forma de transformar um momento trágico da minha vida em algo positivo.

Objetivo: Da próxima vez que estiver em uma situação triste, encontre um jeito de ver seu lado bom.

5 de agosto

Somos o que fazemos com frequência; a virtude, portanto, não é um ato, mas um hábito.

— ARISTÓTELES

Se você quiser ser incrível em alguma coisa, vai precisar de paciência e treino. É simples como escovar os dentes, algo em que raramente pensamos porque o fazemos três vezes ao dia. Repetindo uma ação saudável, nós a tornamos parte da rotina. É bom ter hábitos saudáveis; quanto mais você tiver, melhor se tornará. Quando você se esforça todos os dias para ser melhor, eventualmente será.

Objetivo: Descubra o que ama e o que faz bem para você e torne essas coisas um hábito.

6 de agosto

Temos de viver, não importa quantos céus tenham caído.

— D. H. LAWRENCE

As coisas chegam até você pelas razões certas no momento certo, então não resista a elas. Entregue-se a essas dádivas e desafios com graça e calma.

Objetivo: Seja qual for sua luta de hoje, entregue-se a ela.

7 de agosto

Não gosto de apostar, mas se existe algo em que estou disposta a apostar é em mim mesma.

— BEYONCÉ

Minha recuperação foi uma jornada dolorosa e gratificante que me permitiu conhecer a mim mesma de uma forma que nunca imaginei ser possível. É libertador saber e aceitar que nunca vou ser perfeita. A recuperação é um esforço diário, e é importante que eu continue a trabalhar duro. Não posso ser preguiçosa ou achar que a luta está ganha, e isso tem sido parte da experiência de aprendizado.

Objetivo: Estando ou não em recuperação, pense em sua jornada e em como você pode continuar a melhorar e enriquecer sua vida todos os dias.

8 de agosto

A viagem do descobrimento não consiste em buscar novas paisagens, mas em enxergar com novos olhos.

— MARCEL PROUST

É importante ver o mundo com os olhos abertos. Sempre tente encontrar alguma coisa nova, mesmo nos lugares mais corriqueiros. É ótimo ver o mundo, mas é inútil se você não estiver pronto para ver coisas novas

Objetivo: Tente ver alguma coisa ou alguém sob uma nova perspectiva. Descarte todas as noções preconcebidas.

9 de agosto

Lembre que só Deus pode te julgar. Esqueça quem te odeia porque alguém te ama.

— MILEY CYRUS, "WE CAN'T STOP"

Você não pode agradar a todo mundo. A única coisa que pode fazer é se concentrar em viver sua vida. Se alguém não gostar dos seus atos, lembre-se de que não é pessoal e continue se expressando do jeito que quiser.

Objetivo: Não pense em como as pessoas o veem ou em como você se expressa. Se você estiver melhorando como pessoa e se divertindo, nada mais importa.

10 de agosto

Você precisa aprender a se comunicar se quiser se dar bem neste mundo.

Quando você aprende a se comunicar com as pessoas, não existe problema que não consiga resolver. Isso não significa que sempre vá concordar com os outros e certamente não significa que eles vão sempre concordar com você. Mas nada disso importa se você tiver a maturidade e a paciência para resolver suas diferenças. Pense em como o planeta seria mais pacífico se as pessoas conversassem sobre os problemas em vez de usar violência.

Objetivo: Você tem um amigo ou membro da família com quem não consegue conversar? Talvez este seja o momento de tentar de novo. Não custa nada.

11 de agosto

Então a moral da história é: quem é você para julgar? Só existe um juiz verdadeiro, e é Deus. Então relaxe e deixe meu Pai fazer Seu trabalho.

— SALT-N-PEPA

Não perca tempo julgando as outras pessoas, não é sua função. Você não nasceu para julgar os outros. Você está aqui para ser a melhor versão que puder de si mesmo e para disseminar o amor e a gentileza entre todos que encontrar.

Objetivo: Não julgue os outros, use seu tempo para fazer a diferença.

12 de agosto

Se quisermos viver juntos em paz,
precisamos nos conhecer melhor.

— LYNDON JOHNSON

Todos nós compartilhamos o espaço deste planeta, então temos de chegar a um ponto de respeito mútuo para podermos conviver bem. Não precisamos concordar uns com os outros, mas temos de respeitar e honrar tanto nossas diferenças quanto nossas semelhanças.

Objetivo: Aproxime-se de um colega de quarto, de trabalho ou de um amigo novo e faça um esforço para conhecê-los um pouco melhor. Você pode se surpreender ao ver o quanto vocês têm em comum ou quanto os tocou com seu esforço.

13 de agosto

Aqueles que causam sofrimento normalmente são os que mais sofrem.

Quando eu sofria bullying na adolescência, sentia muita raiva da maneira como as pessoas me tratavam. Agora entendo que elas estavam sofrendo tanto quanto eu, mas expressavam esse sofrimento de uma maneira diferente. Pode parecer loucura, mas quando penso nos meus bullies hoje em dia, tenho vontade de abraçá-los, porque sei que precisavam de amor e compaixão, na época.

Objetivo: Hoje, pense em alguém que o magoou no passado. Tenha compaixão, porque essa pessoa obviamente estava sofrendo.

14 de agosto

Você ensina às pessoas como tratar você através do que permite, do que impede e do que incentiva.

— TONY GASKINS

Se você é uma pessoa extrovertida, é importante se lembrar de que nem todo mundo é assim. Todos nós devemos prestar atenção aos outros e ao que os deixa confortáveis. Tome cuidado com os limites das outras pessoas. Se alguém começar a ultrapassar os seus, peça que por favor os respeitem. Houve momentos tensos em minha vida, nas quais as pessoas tentaram forçar a barra comigo e tive de impor limites ou me afastar da situação.

Objetivo: Preste atenção e tenha consideração pelos limites alheios. Não é só porque você se sente confortável agindo de determinada forma que outra pessoa também se sentirá.

15 de agosto

Tenha compaixão por todos os seres, tanto ricos quanto pobres; cada um tem seu sofrimento. Alguns sofrem demais, outros, de menos.

— BUDA

Muitas vezes, quando comparamos nossas dificuldades às de outras pessoas, acabamos nos sentido culpados e, sem querer, invalidamos nossos sentimentos. Foi uma droga ter quebrado o tornozelo, mas me dei conta de que alguém do outro lado do mundo podia nem sequer ter água potável. Às vezes, ficamos instantaneamente envergonhados porque alguém está sofrendo mais do que nós, mas toda dor precisa ser reconhecida, porque é real. E não é só porque você não sofreu tanto quanto outra pessoa que não passou por nenhuma dificuldade.

Objetivo: Sempre reconheça o que está sentindo, não importa o que estiver passando. Valorize e respeite suas emoções como se fossem as de outra pessoa.

16 de agosto

Não se compare com ninguém. Esse é o maior desserviço que você pode fazer por si mesmo.

Não existem duas pessoas iguais — é isso que torna cada um de nós tão grandioso e especial. Faz parte da natureza humana julgar a nós mesmos, julgar os outros e, quando estamos inseguros, nos comparar a outras pessoas. Achamos que alguém tem mais dinheiro, é mais bonito e mais talentoso que nós. Mas isso simplesmente não importa, porque aquela pessoa não é você e nunca será. Você foi criado exatamente como deveria ter sido.

Objetivo: Lembre-se de que não existe mais ninguém nesta terra com o coração igual ao seu, e isso por si só já é valioso.

17 de agosto

Deixe todo sentimento acontecer a você.
Beleza e terror
Apenas siga em frente
Nenhum sentimento é definitivo.

— RAINER MARIA RILKE

Quando estamos imersos em determinado sentimento, normalmente achamos que ele vai durar para sempre. O segredo é não resistir a essa emoção, porque isso só causa mais dor e sofrimento. Estamos nesta terra para vivenciar todos os sentimentos: beleza e terror, luto e êxtase, alegria e tristeza. Não podemos controlar todas as emoções, então é importante deixar as experiências acontecerem sabendo que não vão durar eternamente.

Objetivo: Lembre-se de que a dor é parte da vida. Ela nos ajuda a ser gratos pelos momentos mais felizes.

18 de agosto

Ou você passa pelo dia ou o dia passa por cima de você.

— JIM ROHN

Quando você acorda de mau humor, parece que ele se espalha pelo seu dia, e se você não interrompê-lo a tempo, vai começar a sentir que o dia inteiro está arruinado. Por incrível que pareça, você tem o poder de mudar seu humor e decidir não deixar um pensamento ou sentimento negativo estragar o dia inteiro. Não estou dizendo que é fácil, porque sei que pode ser difícil. Faça uma tentativa e veja que tipo de positividade e luz você consegue atrair.

Objetivo: Exercite as leis da atração hoje. Independente do que acontecer com você, mande boas energias para o universo e veja o que ele lhe devolve.

19 de agosto

Faça pequenas coisas com grande amor.

— MADRE TERESA

Desde que você faça tudo na vida de todo o coração, seu impacto será mais profundo do que em seus maiores sonhos.

Objetivo: Mesmo as menores tarefas da vida merecem todo o seu coração. Coisas simples como dar um abraço ou dizer "obrigado" devem ser feitas com o mesmo nível de amor e carinho que ações mais importantes.

20 de agosto

Até mesmo milagres levam tempo.

— *CINDERELA*

Quando somos crianças, acreditamos que os desejos podem se tornar realidade com o toque de uma varinha de condão ou um estalar de dedos. Não que coisas maravilhosas não possam acontecer de repente, mas o mais comum é que os acontecimentos milagrosos levem tempo. Acredito de verdade em milagres. Com essa fé, obtenho a força para continuar a ser forte.

Objetivo: Tenha paciência. Até mesmo as grandes mudanças da nossa vida levam tempo para acontecer.

21 de agosto

Você só deve seu presente a si mesmo. Reserve tempo para você. Respeite a si próprio e a sua privacidade. Estabeleça limites.

Muitas das lições que aprendi foram sobre me defender e estabelecer limites. É muito difícil, e às vezes até doloroso. Em ambientes de trabalho e na vida cotidiana, não deixe de impor limites para aqueles com quem convive. Assegure-se de que eles sabem o que o deixa confortável e quais são suas restrições. Seja ativo e comunique-se com os outros para ter certeza de que está honrando a si mesmo. É difícil, mas vale a pena.

Objetivo: Estabeleça um limite em sua vida profissional ou pessoal hoje.

22 de agosto

Graças à minha mãe, não desperdicei tempo algum remoendo se era brilhante ou idiota. É completamente inútil pensar nisso.

— WOODY ALLEN

Você poderia passar a vida inteira pensando no que os outros pensam de você, mas desperdiçaria toda a sua energia sem fazer nada além de se preocupar com coisas que não controla. O que os outros pensam de você não faz a mínima diferença. Ninguém é querido por todos, e não é por isso que fomos colocados nesta terra. O importante é ir dormir à noite sabendo que você fez o melhor que podia e agiu com gentileza, honestidade e compaixão pelos outros e por si mesmo.

Objetivo: Use seus dias sabiamente, concentre-se no que importa, não em coisas bobas que você não pode controlar, ou elas vão acabar controlando você.

23 de agosto

Encontre seu propósito, encontre sua voz.

Estamos todos aqui por uma razão. Alguns já sabem o que querem ser desde pequenos, e outros podem precisar de mais tempo para se descobrir. Independentemente de quando descobrir seu futuro, você tem um propósito específico nesta terra. Sua voz é única e linda. Quando descobrir o que te faz feliz, aceite e nunca deixe que ninguém lhe diga que você não pode viver seus sonhos.

Objetivo: Liste tudo o que quer realizar na vida. Não importa se parecer que você está sonhado alto demais. Quanto mais alto, melhor.

24 de agosto

Viva sem arrependimentos.

— DESCONHECIDO

Ninguém é perfeito. Tão importante quanto saber disso é saber se perdoar. Não fique obcecado pelos erros do passado. Quanto mais você pensa e se apega a eles, mais energia e poder lhes dá. Então deixe para lá, aprenda com eles e siga em frente.

Objetivo: Perdoe-se por um erro que cometeu ou por algo que fez e que agora lhe causa arrependimento. Permita-se deixar isso para trás.

25 de agosto

No final, apenas três coisas importam:
quanto você amou, se viveu com bondade e se
abriu mão graciosamente de coisas
que não eram para ser suas.

— BUDA

Por que passamos mais tempo obcecados com uma coisa que não conseguimos, em vez de pensar em todas as maravilhas que temos na vida? Considere a possibilidade de que aquela coisa que você queria tanto e não conseguiu não era para ser sua. Olhe em volta e seja grato por todo o amor e bênçãos que tem agora.

Objetivo: Pense em algo que você quis muito, mas nunca conseguiu, e acabou sendo melhor assim.

26 de agosto

Quando você faz o melhor que pode e vive seus sonhos, você inspira outras pessoas a fazer o mesmo.

Quanto mais energia você usa para viver seus sonhos, mais energia vai espalhar pelas outras pessoas. Sua coragem de viver seus sonhos é uma fonte de coragem, inspiração e liberdade, para que outras pessoas comecem a fazer o mesmo. Você é um exemplo vivo do que alguns consideram impossível. Não existe um presente maior que você possa dar a alguém que pensa assim.

Objetivo: Se tiver medo e falta de inspiração quando pensar em seus sonhos, encontre um amigo motivado e se inspire.

27 de agosto

Considere a lealdade e a sinceridade os princípios mais importantes.

— CONFÚCIO

A sinceridade e a lealdade são dois dos valores mais fundamentais da vida. Sem esses ideais, o mundo perde o sentido. Todos os dias, faço o melhor que posso para ser verdadeira comigo mesma e para meus amigos, família e fãs.

Objetivo: Quais são seus valores? Suas ações diárias devem estar de acordo com sua moral e suas crenças.

28 de agosto

Você nunca realizará nada neste mundo sem coragem. Além da honra, é a maior qualidade da mente.

— ARISTÓTELES

Não nos damos crédito suficiente por toda a coragem que temos dentro de nós. Talvez alguns tenham mais que outros, mas no final das contas, mesmo que você tenha tentado e fracassado, venceu. Você tentou, e isso exige mais coragem do que qualquer outra coisa.

Objetivo: Hoje, faça o melhor que puder em tudo.

29 de agosto

Você pode passar minutos, horas, dias, semanas e até meses analisando uma situação, tentando juntar as peças, esclarecendo o que poderia e o que teria acontecido... ou pode simplesmente deixar as peças no chão e seguir em frente.

— TUPAC

Se você desperdiçar seus pensamentos e dias vivendo no passado, vai descobrir que não é feliz porque está perdendo toda a alegria e as maravilhas do presente. Preste atenção a este exato momento. Concentre-se em sua respiração e seja grato por estar em seu lugar. Temos a tendência de olhar para o passado e para o futuro quando nossa alegria está bem debaixo do nosso nariz.

Objetivo: Se você passa tempo demais vivendo no passado, não consegue viver o agora. Faça um esforço para seguir em frente hoje.

30 de agosto

Seu tempo é limitado, então não o desperdice vivendo a vida de outra pessoa.

— STEVE JOBS

Quando comecei a ter sucesso como artista, eu usava o nível do sucesso para medir minha própria felicidade. Mas conforme segui esse caminho, percebi que havia muitos altos e baixos. Eu nunca seria feliz comigo mesma se permitisse que as percepções e opiniões dos outros definissem quem eu era. Sou muito grata por ter a força e o amor-próprio para lidar com meus altos e baixos.

Objetivo: Encontre SUA força e SEU amor-próprio. E não deixe as opiniões das outras pessoas definirem você.

31 de agosto

Dê o mesmo que quer receber. Se quiser felicidade, faça os outros felizes.

— RUSSELL SIMMONS

O fato de você receber o mesmo que oferece ao universo não passa de uma simples lei de atração. Quanto mais amor você oferece, mais amor atrai. Quanto mais amor você atrai, mais amor recebe. Quando colocamos boas energias no mundo, nos sentimos bem e deixamos aqueles que nos cercam felizes.

Objetivo: Seja um exemplo de todos os valores e ideais que valoriza.

Setembro

1 de setembro

Tenho valor e beleza suficientes, e não preciso de mais nada para me completar.

— DESCONHECIDO

Só quando realmente nos sentimos completos por dentro, temos beleza e força interior. Cada um é feliz segundo os próprios padrões. Esses padrões são formados e moldados por nossas experiências, através de tentativa e erro. Esses padrões devem evoluir e ser ajustados constantemente, conforme mudamos e crescemos. Quando você se mantém fiel a sua voz e ao seu eu interior, se sente completo.

Objetivo: Hoje, tenha em mente que você não precisa de ninguém para completá-lo porque completa a si mesmo.

2 de setembro

O amor tira sua alma do esconderijo.

— ZORA NEALE HURSTON

Fofoca, julgamentos, bullying e outras influências negativas podem nos fazer querer esconder nossos verdadeiros sentimentos, sejam de tristeza, alegria ou amor. Não é fácil acreditar que você pode ser autêntico, mesmo com aqueles que ama. Quando aceita o amor da sua família e dos seus amigos, seu coração e sua alma se elevam.

Objetivo: Dê valor àqueles que o amam, apoiam e aceitam como você é.

3 de setembro

O ontem é história, o amanhã é um mistério,
mas o hoje é uma dádiva.
É por isso que se chama presente.

— A. A. MILNE

Ninguém sabe por quanto tempo vamos ficar na Terra; e você não deve desperdiçar esse tempo se preocupando com o dia seguinte. Deve apenas apreciar o momento e tentar aproveitá-lo sempre que puder.

Objetivo: Entenda que o tempo é limitado e desafie-se a viver cada dia ao máximo. De que jeito você pode aproveitar sua vida ao máximo hoje?

4 de setembro

A cadeia não me fez encontrar Deus; Ele sempre esteve presente. Podem me prender, mas meu espírito e meu amor nunca serão confinados aos muros da prisão.

— LIL WAYNE

No final das contas, nosso espírito e nossa alma não podem ser comprometidos. Não importa que tipo de limitações ou fronteiras as pessoas tentam criar a sua volta, é sua capacidade de amar a si mesmo e aos outros que move montanhas.

Objetivo: Não permita que suas restrições emocionais o detenham.

5 de setembro

A vida é linda... Você a merece.

Nunca se desvalorize. *Nunca* esqueça o quanto você é bonito. Em certas situações, as pessoas podem sentir que não são boas o suficiente segundo os padrões da sociedade. Mas isso é natural. Você só precisa saber deixar os sentimentos negativos para trás.

Objetivo: Lembre-se de que você é lindo exatamente como é.

6 de setembro

A cada manhã, nascemos de novo. O que fazemos hoje é o que mais importa.

— BUDA

Nosso destino não está traçado, porque renascemos todos os dias e a vida é cheia de novas oportunidades. Você tem a liberdade de acordar um dia e decidir viajar pelo mundo, mudar de carreira ou procurar um amigo com quem não fala há anos. Todo dia é cheio de novas ideias e possibilidades.

Objetivo: Hoje faça algo inesperado que não combine com seu jeito habitual. Liberte-se.

7 de setembro

Guie-se pela fé, não pela visão.

— 2 CORÍNTIOS 5:7

Se eu só tivesse me permitido viver e sonhar com base no que estava vendo diante de mim, nunca estaria nem perto de onde estou hoje. Mas tive fé nos meus sonhos, na minha imaginação, no poder dos meus pensamentos e das minhas esperanças para uma vida melhor. Eu poderia ter deixado o jeito que me tratavam na escola — o bullying, as palavras cruéis que me diziam — definir o jeito como eu vivia, mas não deixei. Em vez de escolher viver a vida que estava diante de mim, tive fé que meus sonhos iam me ajudar a atravessar os momentos difíceis e, no final, me levar aonde eu queria chegar.

Objetivo: Qual é seu maior sonho? Fale-o em voz alta e diga a si mesmo que está bem diante de você, desde que acredite nele e em si mesmo.

8 de setembro

Uma das razões para ter sido tão infeliz durante anos era nunca aceitar minhas emoções e tentar ficar no controle.

Na época, eu não percebia que na minha tentativa desesperada de manter o controle sobre a vida, estava me perdendo cada vez mais. Meus vícios me davam uma falsa sensação de controle. Eu estava envolvida demais para entender que a cada dia me afastava mais de mim mesma. Guardava muita dor, e usava os vícios para amortecer meu sofrimento. Quando procurei ajuda pela primeira vez, me senti totalmente fora de controle, porque não podia me esconder atrás de mais nada, e odiei aquela sensação. Eu não entendia que precisava entregar meu poder a algo maior. Hoje, sou muito grata por ter colocado tudo para fora e pedido a ajuda que precisava.

Objetivo: Quando alguém perguntar como você está, não fale "tudo bem" — diga como você realmente está se sentindo.

9 de setembro

Não sei qual é o segredo do sucesso, mas o segredo do fracasso é tentar agradar a todos.

— BILL COSBY

Em geral, quando tenta agradar as outras pessoas, você as deixa felizes e acaba triste, percebendo ou não. Se você é jovem e está se tornando adulto, ou se é mais velho e seguro de si, não altere seu jeito de ser por ninguém.

Objetivo: Viva para si mesmo e todo o resto vai se resolver quando a hora chegar.

10 de setembro

Faça algo maravilhoso; os outros talvez imitem.

— ALBERT SCHWEITZER

As boas ações são algo contagioso, mas parece que às vezes as pessoas precisam receber uma permissão. Talvez alguns tenham medo de sair de sua zona de conforto e fazer alguma coisa que os deixaria desconfortáveis. É importante dar o bom exemplo para aqueles que o cercam porque as outras pessoas vão imitá-lo.

Objetivo: Guie e inspire os outros com suas boas ações.

11 de setembro

Se você e eu tivermos um único pensamento de violência e ódio contra qualquer pessoa do mundo neste momento, estamos contribuindo para ferir o mundo.

— DEEPAK CHOPRA

A violência é a saída fácil, e só gera mais violência. Precisamos de pessoas que estejam dispostas a encontrar soluções através da paz, da comunicação, da honestidade e da diplomacia. A paz mundial pode parecer impossível, mas vale a pena tentar obtê-la.

Objetivo: Você não precisa ser político para impedir guerras e praticar a paz. Cuide para que todas as palavras que diz e todas as suas ações sejam permeadas de paz e amor.

12 de setembro

Mesmo que você esteja certo, a outra pessoa tem a própria versão da história.

Por mais confiança que você tenha de estar "certo" em uma situação, existe uma boa chance de que a pessoa com quem você brigou ou se desentendeu tenha a mesma confiança. Normalmente, as brigas se tornam muito complicadas porque não existe resposta ou solução certas. Elas têm dois lados, e é importante ouvir todas as versões antes de tomar uma decisão.

Objetivo: Mantenha a mente aberta e esteja disposto a ouvir o lado da outra pessoa. Ela pode destacar alguma coisa em que você nunca teria pensado e que vai ajudá-lo a crescer.

13 de setembro

Se não quiser se contradizer amanhã,
fale a verdade hoje.

— BRUCE LEE

Cada um de nós já disse incontáveis mentiras, grandes e pequenas — acho que é humano. Mesmo que você diga uma simples mentirinha, seja honesto consigo mesmo imediatamente, fale a verdade e se desculpe.

Objetivo: Não conte uma única mentira hoje, por menor que seja.

14 de setembro

Não existe nada mais belo e atraente do que uma pessoa que sabe quem é.

Pessoas que sabem quem são e não fazem concessões são muito atraentes. Quando um homem ou uma mulher entra em algum lugar com confiança, todos percebem. A verdade é que a aparência se deteriora, mas a beleza interior, o equilíbrio e o amor-próprio duram para sempre — mas apenas você pode cultivá-los.

Objetivo: Encontre sua confiança e deixe que ela se irradie.

15 de setembro

O que os outros pensam de mim
não é da minha conta.

— ANÔNIMO

Você pode passar todos os seus dias obcecado com o que os outros pensam de você e, em um momento ou em outro, todos fazemos isso. Todo mundo tem opinião, mas ela não tem importância, porque a opinião dos outros não deve afetar sua vida. Seus assuntos são seus assuntos. Quando você começa a deixar os pensamentos e os valores das outras pessoas o impedirem de viver sua própria vida, ela deixa de ser sua.

Objetivo: Aceite críticas construtivas, mas não deixe a opinião de ninguém mudar você.

16 de setembro

Você é o que seus amigos são.

Aprendi que as pessoas que me cercavam eram um reflexo direto de mim mesma. Descobri que se elas estavam usando drogas enquanto eu estava sóbria, uma pequena parte de mim queria ser amiga delas porque elas faziam isso. Precisei aprender que não podia ser amiga de gente cuja doença ainda estava ativa. Tive de cortar pessoas da minha vida porque elas estavam me puxando para baixo. Agora que estou em recuperação, faço questão de me cercar de gente positiva que tem integridade e valores fortes.

Objetivo: O que mais importa para você em um amigo? Escreva seus valores e virtudes e assegure-se de que as pessoas que o cercam correspondam a esses critérios.

17 de setembro

Você não precisa ser igual a todo mundo.
Ame quem você é.

— LEA MICHELE

Não importa quem somos, todos temos dias de insegurança. O mais importante é saber que todos nós passamos por dias assim. Só quando aceitamos essa emoção conseguimos senti-la e seguir em frente com nosso dia.

Objetivo: Quando se sentir inseguro, olhe-se no espelho e faça afirmações positivas para si mesmo.

18 de setembro

Nada vai funcionar a não ser que você esteja funcionando.

— MAYA ANGELOU

Para colocar a melhor versão de si mesmo em tudo o que faz, você precisa estar no auge. Isso significa dormir bastante, comer bem, fazer exercícios, meditar e cuidar da mente, do corpo e da alma. Às vezes achamos que precisamos nos exaurir para mostrar o quanto trabalhamos, mas garanto que é muito melhor encontrar o equilíbrio. Você vai se sentir mais feliz, ficará mais produtivo e seu trabalho será melhor.

Objetivo: Avalie sua vida e encontre o equilíbrio em todos os aspectos e áreas.

19 de setembro

Expectativas são apenas decepções esperando para acontecer.

Quando passamos o tempo esperando que as coisas aconteçam, não vivemos o agora, e tudo o que conseguimos é nos decepcionar e acabar julgando a nós mesmos, o que só piora as coisas. É importante saber o que você quer da vida, mas também é crucial manter a cabeça aberta ao visualizar como e onde esses sonhos serão realizados. O problema da expectativa é que ela cria esperanças altas demais. É maravilhoso ser um sonhador, mas também é preciso ser sensato e realista.

Objetivo: Livre-se das expectativas, fique aberto para a jornada e explore o que está bem diante de você.

20 de setembro

E todas as cores que sou por dentro
ainda não foram inventadas.

— SHEL SILVERSTEIN

A criatividade é muito mais do que produzir arte. Ela também permite purificar emoções e pensamentos tóxicos de um jeito positivo e saudável. Para mim, é cantar e tocar. Quando me apresento, consigo expressar minhas emoções sem me envolver em comportamentos autodestrutivos.

Objetivo: Encontre um hobby que lhe permita liberar emoções fortes de uma maneira saudável.

21 de setembro

Lembre-se de que não conseguir o que quer às vezes é um maravilhoso golpe de sorte.

— ANÔNIMO

Muitas vezes na vida não consegui algo que queria, algo que achava perfeito para mim. Agora vejo que essas coisas que eu imaginava precisar eram exatamente o que não precisava. Mesmo que você não consiga entender ainda, seja humilde ao deixar para trás essas decepções e aceite que talvez seja melhor assim.

Objetivo: Reflita sobre coisas que a princípio foram decepções e que acabaram se tornando bênçãos.

22 de setembro

Temos sempre a mesma idade por dentro.

— GERTRUDE STEIN

Você se lembra de como era maravilhoso ser criança? Correr ao ar livre e brincar com seus amigos sem se preocupar com nada? Não é só porque crescemos que temos de perder nossa criança interior. Aquela menininha ou menininho ainda está dentro de você. Eles não podem mais ditar o rumo da sua vida, mas precisam continuar podendo brincar e experimentar a pura alegria.

Objetivo: Lembre-se de encontrar diversão no trabalho e em tudo o que faz.

23 de setembro

Você é a única pessoa do mundo que sabe como viver sua vida.

Se alguém lhe disser o contrário, essa pessoa não está conseguindo viver a própria vida e resolveu que é mais fácil dizer aos outros o que fazer. Essas pessoas temem a própria realidade, mas você pode ajudá-las, mostrando como viver sem medo e com convicção.

Objetivo: Aceite sua vida exatamente como ela é, com todos os defeitos e perfeições, esperanças e decepções. Inspire os outros a viver de uma forma mais presente e completa, mostrando a fé e a confiança que tem na vida que VOCÊ vive. Lidere pelo exemplo.

24 de setembro

Às vezes nossa própria luz se apaga e é reacendida pela fagulha de outra pessoa. Cada um deve pensar com profunda gratidão naqueles que acenderam a chama dentro de nós.

— ALBERT SCHWEITZER

Não temos como ser positivos e otimistas em todos os dias do ano — é natural. Às vezes nossa luz brilha como o sol, e às vezes se enfraquece um pouco. É importante nos cercar de amigos que nos amam incondicionalmente. Essas são as pessoas que devemos procurar quando sentimos que não existe mais esperança. Verdadeiros amigos iluminam nossa vida e reacendem a luz dentro de nós quando a esperança se enfraquece.

Objetivo: Se estiver tendo um dia ruim, cerque-se de amigos que possam iluminá-lo com a própria luz.

25 de setembro

Que exemplos estamos dando para nossos irmãos mais novos e nossos filhos?
Comece a mudar o futuro deles hoje.

Tenho uma irmã mais nova que amo com todo o coração. Mesmo que eu não fosse uma figura pública, estaria pensando em como minhas ações podem influenciar a vida dela. Se eu usar drogas na frente dela, ela vai pensar que é certo. Temos que prestar atenção e ter cuidado com tudo o que fazemos e dizemos, pois as gerações mais novas nos admiram.

Objetivo: Dê um bom exemplo para as pessoas influenciáveis em sua vida.

26 de setembro

Sempre existe a oportunidade de transformar uma situação negativa em positiva, desde que você esteja aberto a essa possibilidade.

Toda situação difícil pela qual passei acabou me mudando para melhor. Fiquei mais forte como artista e ser humano e pude falar em prol de outros que ainda estão lutando para ser ouvidos. Não dá para explicar como me sinto privilegiada e honrada por usar minha própria dor para ajudar as pessoas a encontrar sua força e, quem sabe, evitar sofrimento desnecessário para muitas outras. Esses raios de luz positiva só puderam atravessar a escuridão porque permiti, porque eu estava aberta a eles e porque não me apeguei ao meu passado ou minha dor — simplesmente os honrei.

Objetivo: Encontre algo positivo em uma dificuldade que está enfrentando e compartilhe com alguém que também esteja em dificuldades. Essa pessoa vai perceber que algo melhor a espera.

27 de setembro

Tememos nos importar demais por medo de que o outro não dê a mínima.

— ELEANOR ROOSEVELT

Nunca tenha medo de mostrar a alguém quanto o ama. Muitas vezes senti vontade de declarar meu amor, mas tive medo de parecer ridícula. Quando superei isso e percebi como as pessoas ficavam gratas por minha expressão de amor, elas passaram a expressar seu amor por mim na mesma hora. Foi preciso que eu me abrisse para que elas se abrissem.

Objetivo: Abra-se com alguém com quem convive e encoraje essa pessoa a fazer o mesmo.

28 de setembro

Seja impecável com sua palavra.

— MIGUEL ANGEL RUIZ

É muito importante falar com clareza. Às vezes, temos medo de dizer alguma coisa que magoe ou decepcione alguém. Mas a dor e a decepção de verdade são causadas quando dizemos algo que não é sincero ou fazemos uma promessa que não podemos cumprir. Ao longo dos anos, também fiz promessas que não podia cumprir e disse coisas de que mais tarde me arrependi. Eu queria acreditar que conseguiria cumpri-las, mas no fundo sabia que não estava sendo realista. Sempre fale coisas que pode sustentar. Mesmo que não ache que são suficientemente promissoras, pelo menos vai saber que está sendo honesto.

Objetivo: Responsabilize-se por seus atos. Tudo o que você disser hoje deve ser honesto e verdadeiro.

29 de setembro

Não adie a felicidade.

Durante um tempo, fiquei muito desanimada e deprimida. Tudo o que queria era sentir felicidade, e constantemente a procurava fora de mim. Ouvi a expressão "Mude seus pensamentos, mude sua vida". A princípio, fiquei incerta sobre ela porque culpava forças externas e outras pessoas por minha infelicidade. Decidi tentar mudar meus pensamentos, e descobri que instantaneamente me tornei uma pessoa mais feliz. O poder da mente é incrível: fez toda a diferença começar a ser proativa em levar uma vida feliz.

Objetivo: A felicidade pode chegar amanhã, mas não se baseie nisso. Comece a trilhar seu caminho para a felicidade hoje e agora.

30 de setembro

Seja corajoso e forte; poderes virão ao seu auxílio.

— GOETHF

Quando você sabe o que quer da vida, tudo o que importa é tentar com convicção e coragem. Você não precisa conhecer cada passo do caminho para realizar seu sonho.

Objetivo: Dê um passo corajoso em direção ao desconhecido e creia que o chão vai aparecer sob seus pés quando você precisar.

Outubro

1 de outubro

Não podemos controlar tudo na vida... mas o que podemos fazer é olhar para a frente e escolher para onde vamos em seguida.

A vida vai lhe proporcionar todo tipo de emoção e experiência que você possa imaginar, e muitas que nunca imaginou. Tento aceitar com gratidão tudo o que chega até mim. Viver é não saber o que há pela frente e tirar o melhor de todas as situações.

Objetivo: Pense em algo maravilhoso que lhe aguarda em seu futuro.

2 de outubro

Não se preocupe, seja feliz.

— BOBBY MCFERRIN, "DON'T WORRY, BE HAPPY"

É um conceito bem simples, mas pode ser difícil simplesmente parar de se preocupar. A preocupação não leva a nada, só impede nossa felicidade. Esse conceito funciona, então faça uma tentativa e veja se seu humor melhora.

Objetivo: Ouça uma música alegre e animada para voltar aos trilhos.

3 de outubro

Quando você odeia, a única pessoa que sofre é você, porque a maioria das pessoas que você odeia não sabe disso, e o resto não liga.

— MEDGAR EVERS

Todas as vezes que tive de superar o término de um namoro, eu passava a maior parte do tempo cheia de raiva e ódio. Na época eu não percebia, mas tinha muita energia tóxica na vida. Sempre me perguntava por que meus ex conseguiam superar o fim do relacionamento mais rápido que eu. Agora entendo que era porque eu passava tempo demais os odiando em vez de superá-los. De forma parecida, quando eu tinha 12 anos e sofria bullying, passava mais tempo zangada com meus bullies do que me amando e cuidando de mim.

Objetivo: Qualquer que seja a dificuldade que você esteja enfrentando, não se permita envenenar a si mesmo com raiva, quando poderia estar se amando.

4 de outubro

O bem mais valioso que se pode ter
é um coração aberto.

— CARLOS SANTANA

Nunca se sabe de que direção algo maravilhoso chegará em sua vida. Mesmo que sua mente esteja muito focada em alguma coisa, talvez o universo lhe reserve algo ainda mais maravilhoso. Se você ficar olhando em apenas uma direção, pode deixar isso passar. É importante se concentrar em seus sonhos e visões, mas ao mesmo tempo esteja aberto a todas as possibilidades.

Objetivo: Hoje faça algo que não faria normalmente e veja como se sente. Você pode desfrutar de uma nova parte da vida.

5 de outubro

Não podemos recomeçar, mas podemos começar agora e criar um novo final.

— ZIG ZIGLAR

Permita que todas as suas esperanças, sonhos e visões para a vida encham seu coração, energizem e influenciem cada palavra que você diz, e dê um novo significado a cada passo seu.

Objetivo: Seja destemido, ambicioso e bravo em sua vida pessoal e profissional.

6 de outubro

As coisas simples também são as mais extraordinárias, e só os sábios conseguem vê-las.

— PAULO COELHO

Quando foi a última vez que você observou o mundo a sua volta? A vida tem muitos pequenos momentos dignos de nota. Não se envolva com seu mundo a ponto de parar de reparar em todo o resto.

Objetivo: Absorva a maior quantidade de momentos e detalhes que puder.

7 de outubro

Pessoas orgulhosas forjam sofrimento para si mesmas.

— EMILY BRONTË

Acho que, em algum momento, muitos de nós fomos orgulhosos demais para pedir ajuda ou dizer "eu não sei". O orgulho pode nos atrasar e obstruir nossa capacidade de aprender. Nunca tenha vergonha de pedir ajuda ou de dizer que não sabe ou não entende alguma coisa.

Objetivo: Faça muitas perguntas sobre as coisas que não entende. Você não é fraco, só está expandindo sua mente através do aprendizado.

8 de outubro

Promessas são como a lua cheia, se não forem cumpridas logo, minguam um pouco a cada dia.

— PROVÉRBIO ALEMÃO

É fácil dizer que vamos agir, mas se ficarmos parados estaremos apenas fazendo promessas vazias. Se você não pode cumprir as promessas que faz, especialmente para si mesmo, então não apenas vai magoar os outros como vai prejudicar sua integridade

Objetivo: Se você magoou alguém recentemente com uma promessa, conserte as coisas se desculpando.

9 de outubro

Há apenas uma forma de evitar as críticas: não diga nada, não seja nada, não faça nada.

— ARISTÓTELES

Você não pode, nem precisa, agradar a todos. Já fui muito criticada e até li comentários horríveis na internet, mas não posso deixar isso me desanimar. Preciso continuar a ser quem sou pelas pessoas que importam para mim e isso vai ser o suficiente.

Objetivo: Não tente agradar a todos, apenas concentre-se em agradar a si mesmo. Se alguém criticá-lo demais, não responda para não alimentar esse comportamento.

10 de outubro

O ego é um mito social pelo qual uma pessoa de cada vez leva toda a culpa.

— ROBERT ANTON WILSON

Não somos nosso ego e não podemos colocar a culpa de tudo nele. Precisamos assumir a responsabilidade pelas decisões que tomamos na vida mesmo que isso signifique colocar de lado nossos sentimentos e fazer o que é certo. Mesmo que nosso orgulho saia ferido.

Objetivo: Liberte-se de seu ego e assuma a responsabilidade por seus atos.

11 de outubro

Reaja com inteligência mesmo quando for tratado com ignorância.

— LAO-TSÉ

Às vezes as pessoas lhe dirão coisas para fazê-lo descer ao nível delas. Mas todos podemos escolher a maneira de lidar com esse tipo de tratamento. É muito difícil não reagir quando tudo o que você quer é fazê-las se sentirem tão mal quanto o deixaram. Mas posso garantir que essa não é a solução. Seja paciente e reaja com graça, não pela outra pessoa, mas por você.

Objetivo: Da próxima vez que alguém o tratar mal, não retribua. Seja superior.

12 de outubro

As dificuldades e o caos fazem parte da vida. Mas você precisa aceitá-los com graça e serenidade porque eles também proporcionam dádivas.

Todas as minhas dificuldades, e também minha jornada, foram uma imensa dádiva. Elas me permitiram crescer como artista e ser humano. Quando comecei a aceitar as dificuldades e decidi aprender com elas (em vez de deixá-las me controlar), fiquei muito mais calma. Agora sei que essas dificuldades e esses desafios me ajudaram a crescer como artista e mulher.

Objetivo: Quando estiver consumido pelo caos, lembre-se de que muitas mudanças positivas virão a seguir.

13 de outubro

Mantenha distância de quem deprecia suas ambições. Pessoas pequenas sempre fazem isso, mas as grandes pessoas o fazem sentir que também pode se tornar grande.

— MARK TWAIN

Tive de aprender da maneira difícil quem são meus verdadeiros amigos, mas para mim, o melhor jeito de descobrir é ver se eles querem me botar para cima ou para baixo. Só quero conviver com pessoas que me apoiem e, por consequência, me fortaleçam com seu amor e sua crença em mim e com meu amor e minha crença nelas. Não existe amizade de mão única — você precisa receber o mesmo que dá.

Objetivo: Talvez valha a pena dizer como se sente a uma pessoa tóxica de sua vida. Se ela não estiver disposta a tratá-lo de forma diferente, considere a possibilidade de não conviver mais com ela.

14 de outubro

Um cervo ferido — dá o salto mais alto —

— EMILY DICKINSON

Nossas feridas e cicatrizes nos dão força e coragem. As minhas tornaram cada momento da vida mais significativo, e agora me conheço melhor. Fiquei mais forte e minha paixão pela vida se aprofundou. Finalmente posso ser grata por minhas feridas, por causa das bênçãos que elas me proporcionaram.

Objetivo: Aceite as dificuldades e experiências dolorosas do passado — elas ajudaram a moldá-lo. Você é mais forte por ter passado por tudo o que passou, e seja como for, está aqui hoje para contar sua história.

15 de outubro

Deus não fez tudo em um dia.
Por que você acha que pode fazer?

— DESCONHECIDO

Por mais que você trabalhe, é muito importante fazer pausas. Levante-se, alongue os músculos, medite por cinco minutos e aquiete sua mente. Quando voltar ao que estava fazendo, será mais produtivo. Quando passo 16 horas por dia no estúdio, é fácil me perder no trabalho porque amo o que faço. Acho muito importante levantar e tomar um ar. Isso me faz sentir melhor e revigora meu trabalho.

Objetivo: Recarregue suas baterias reservando um momento para si mesmo todos os dias.

16 de outubro

As palavras têm o poder tanto de destruir quanto de curar. Quando as palavras são verdadeiras e bondosas, podem mudar nosso mundo.

— BUDA

Nossas palavras têm muito poder — mais do que imaginamos. Elas podem causar muito bem e muito dano. Podem criar a paz e incitar as pessoas à violência. Quando estamos sofrendo muito, é fácil atacar os outros, mas assim nos tornamos a fonte do problema que está nos fazendo sofrer. Não desconte sua dor nos outros, ou só vai perpetuar o ciclo.

Objetivo: Se você estiver sofrendo, faça o melhor que puder para achar válvulas de escape saudáveis. Encontre um amigo para conversar, se expresse artisticamente, escreva em seu diário ou procure ajuda profissional.

17 de outubro

A prática do perdão é nossa contribuição mais importante para a cura do mundo.

— MARIANNE WILLIAMSON

Se todas as pessoas do mundo guardassem ressentimentos do passado e se apegassem à sua dor, não existiria esperança para o futuro, pois todos seriam irritados e amargos, presos ao passado. Não existem palavras para explicar o poder da prática do perdão. O perdão é um ato lindo e contagiante de humildade. Significa que você consegue deixar seu ego de lado e toma consciência de que é melhor ser feliz e ter paz do que estar "certo".

Objetivo: Invista sua energia em coisas que o fazem feliz e não se preocupe em estar certo.

18 de outubro

Nunca desista.

Já ouvimos essa frase um milhão de vezes. Só quando vivemos segundo esse lema é que entendemos por que tantas frases consideradas clichê são tão verdadeiras. Os obstáculos que seus sonhos e sua fé encontram não significam que toda a esperança está perdida, e sim que você está sendo testado. Quando você supera os desafios e mostra ao universo que quer aquilo apesar de tudo, suas preces são atendidas e seus sonhos, realizados.

Objetivo: Pense no que realmente ama fazer da vida e continue tentando conseguir.

19 de outubro

Com frequência, as pessoas dizem que os efeitos da motivação não duram. Bom, nem os do banho — é por isso que ele é recomendado todos os dias.

— ZIG ZIGLAR

Lembre-se: sejam quais forem as metas que você está tentando alcançar neste momento, é preciso trabalhar nelas todos os dias. Não basta escrever seus objetivos e visões para o futuro; é preciso trabalhar duro para conseguir qualquer coisa na vida.

Objetivo: Todos os dias deste mês, faça ao menos uma coisa para aproximar-se de seu objetivo.

20 de outubro

Se esperarmos pelo momento em que tudo,
absolutamente tudo, estiver pronto,
talvez nunca comecemos.

— IVAN TURGENEV

Não fique esperando sentado pela hora certa. Não existe o momento perfeitamente oportuno. Se eu tivesse esperado o momento perfeito para começar minha carreira, não estaria onde estou hoje. Então trabalhe duro e sonhe alto. Faça as coisas acontecerem para você.

Objetivo: Pare de adiar um objetivo que tem.

21 de outubro

Nada é perda de tempo se você usar a experiência sabiamente.

— RODIN

Passei grande parte da minha jornada e da minha vida tentando descobrir quem sou. Eu achava que se já não soubesse tudo, nunca saberia. Agora entendi que o que me definiu e me tornou completa foi a jornada. O principal é assumir riscos, experimentar coisas novas e continuar a crescer e aprender. Sei que estou sendo guiada nessa direção, e é suficiente. Quero continuar crescendo, continuar aprendendo e explorando. Aceite o desconhecido, porque é lá que está a mágica.

Objetivo: Seja grato por sua jornada, porque ela é só sua.

22 de outubro

Quando amamos, sempre tentamos nos tornar melhores do que somos. Quando nos esforçamos para nos tornar melhores do que somos, tudo o que nos cerca também se torna melhor.

— PAULO COELHO

O amor é a maior cura, o melhor remédio. O amor torna tudo possível. Ele nos fortalece e permite que nos tornemos mais abertos e piedosos do que jamais sonhamos ser. Não existe amor em excesso. As pessoas ficarão gratas se você conseguir amar com todo o coração.

Objetivo: Use seu amor e o amor dos outros para se curar.

23 de outubro

Então a partir de hoje vou sair desta jaula. Vou me levantar, vou enfrentar meus demônios.

— EMINEM, "NOT AFRAID"

Seja o que for que você enfrentou na vida, sempre existe uma oportunidade de se libertar, de atravessar as dificuldades. Muitos de nós precisam passar por algo realmente horrível antes de chegar ao outro lado. Esteja onde estiver agora, não se esqueça de que as coisas ficam melhores e que você pode pedir ajuda para enfrentar seus demônios.

Objetivo: Procure dentro de si mesmo, reúna toda a sua força e enfrente o que o está atrapalhando.

24 de outubro

Daqui a vinte anos, você estará mais arrependido das coisas que não fez que das que fez. Então solte as amarras. Afaste-se do porto seguro. Deixe o vento soprar suas velas. Explore. Sonhe. Descubra.

— MARK TWAIN

Como artista, preciso ser destemida ao perseguir meus sonhos. Preciso deixar a zona de conforto para crescer não apenas como ser humano, mas para ultrapassar meus próprios limites. Encorajo a todos que estiverem tentando realizar seus sonhos a ser destemidos e acessar áreas emocionais que nem sempre são confortáveis ou compreensíveis.

Objetivo: Faça algo que esteja fora de sua zona de conforto hoje. Às vezes as coisas que nos assustam nos ajudam a crescer.

25 de outubro

Nunca espere, nunca suponha, nunca pergunte
e nunca exija. Apenas deixe acontecer.
Porque o que tiver de ser, será.

Quando descobrimos que as únicas ações que podemos controlar na vida são as nossas, achamos isso limitador e até inquietante, porque em certo nível queremos sentir que temos total controle. Mas pensando melhor no assunto, cheguei a um entendimento mais profundo que acabou me dando uma sensação de liberdade. Algumas coisas podem acontecer exatamente como você planejou, e outras, não. Mas no final tudo será exatamente como tiver de ser.

Objetivo: Pense em uma coisa da vida que você não controla e fique em paz com ela.

26 de outubro

Quando a raiva cresce, a consciência enfraquece, então cuidado para não ser o dono da verdade, e considere todos os pontos de vista.

A raiva é uma emoção muito poderosa. Tanto que quando ela é muito forte pode obscurecer nosso senso crítico e nossa capacidade de raciocínio. Precisamos aceitar nossos sentimentos, mas também saber que quando não controlarmos nossa raiva ela tem a capacidade de destruir nosso bom-senso.

Objetivo: Não se deixe dominar pela raiva. Pense racionalmente e preste atenção na forma que suas emoções afetam os outros.

27 de outubro

Não podemos mudar o mundo, a não ser mudando a nós mesmos.

— BIGGIE SMALLS

Como somos seres imperfeitos, é importante sempre ficarmos abertos, continuar crescendo e nos expandindo. Quando mudamos e tentamos melhorar nossa vida, tornamos o mundo um lugar melhor.

Objetivo: Ingresse em uma causa filantrópica — faça sua parte no mundo.

28 de outubro

Você não pode viver sua vida para os outros. Você tem de fazer o que é certo para você, mesmo que magoe algumas pessoas que você ama.

— NICHOLAS SPARKS

Celebre sua independência e o fato de poder tomar as próprias decisões. É impossível agradar a todos que o cercam, mas é sempre possível fazer as escolhas certas para agradar a si mesmo. No final, isso é tudo com o que você pode se preocupar.

Objetivo: Não tome decisões com base na influência ou nos conselhos de outras pessoas.

29 de outubro

Eu ainda acredito, apesar de tudo, que as pessoas têm o coração verdadeiramente bom.

— ANNE FRANK

Se Anne Frank, que passou por um trauma inimaginável, ainda conseguia manter uma atitude positiva e acreditar na bondade dos outros, então eu também posso.

Objetivo: Quando sentir pena de si mesmo ou precisar de perspectiva, pense em como sua vida é boa. Você é abençoado.

30 de outubro

Mantenha o rosto virado para o sol e não verá nenhuma sombra.

— HELEN KELLER

O fato de que essa citação foi feita por alguém que não enxergava é profundamente belo. Ela conseguiu ver a luz dentro de si mesma e dentro de cada um de nós ao mudar sua perspectiva; essa atitude é admirável e todos podemos aprender com ela.

Objetivo: Escolha cercar-se de positividade e será capaz de lidar com todos os desafios.

31 de outubro

Uma das coisas mais assustadoras da vida é perceber que sua única salvação é... você mesmo.

Chegou um momento, depois do tratamento, em que percebi que não importava em quantas pessoas me apoiasse, ninguém ia me salvar a não ser que eu me salvasse. A mudança vem de dentro, não de outras pessoas. Você não pode forçar alguém a mudar.

Objetivo: Olhe para dentro de si e faça honestamente a pergunta "Eu preciso de orientação?".

Novembro

1 de novembro

Você precisa se defender sozinho, porque ninguém vai defender você.

Em alguns momentos da minha vida, percebi que havia alguma coisa errada na maneira como eu estava sendo tratada, mas senti medo ou vergonha demais para me defender. Pode ser muito difícil e assustador para as pessoas, porque acho que tememos ser menos queridos. Mas se não defender aquilo em que acredita, vão tirar vantagem de você. Mesmo que façam isso sem querer, é uma sensação horrível. Acredito que quando começamos a nos defender passamos a ser muito mais respeitados.

Objetivo: Defenda-se com graça e confiança; esses são seus próprios poderes.

2 de novembro

Ame a si mesmo porque você nasceu assim.

— LADY GAGA, "BORN THIS WAY"

O efeito negativo do bullying ou da implicância pode ser duradouro. Quando eu era mais nova, comecei a perder a identidade porque estava mudando características minhas das quais os bullies não gostavam. Um dia, percebi que tinha deixado de ser eu mesma. Eu precisava amar quem era e sempre tinha sido. Quando descobri isso, consegui me sentir melhor comigo mesma.

Objetivo: Nunca se sacrifique tentando se adequar aos padrões de outras pessoas.

3 de novembro

Seja gentil com pessoas grosseiras,
são as que mais precisam.

— ASHLEIGH BRILLIANT

Quando começamos a observar desconhecidos, percebemos que algumas pessoas parecem muito felizes, enquanto outras dão a impressão de estar zangadas com o mundo. Não leve para o lado pessoal, porque elas estão sofrendo por dentro. Pense no homem de aparência infeliz que está perto de você na fila ou no segurança do aeroporto que grita com todo mundo por causa de algo negativo que está sentindo. São eles que mais precisam de gentileza, e é muito provável que fiquem tocados por você se aproximar, mesmo que não saibam demonstrar. Se você for aberto com eles, provavelmente eles serão abertos com você.

Objetivo: Hoje, responda à raiva de uma forma positiva

4 de novembro

A decepção é um bom sinal; significa que tentamos conseguir alguma coisa.

— ELIZABETH GILBERT

Sempre haverá momentos em que tentamos genuinamente conseguir alguma coisa e acabamos nos decepcionando. Isso significa que estamos dispostos a nos arriscar. Mesmo que a mágoa seja dolorosa, espero que você se lembre de que é um bom sinal porque mostra seu interesse. É um reflexo de todo o amor que você tem dentro de si.

Objetivo: Ame destemida e bravamente, com todo o coração.

5 de novembro

Ninguém merece suas lágrimas, mas se alguém merecê-las não vai fazer você chorar.

— GABRIEL GARCÍA MÁRQUEZ

Muita gente vai fazer você chorar, ou pelo menos ter vontade. Essas pessoas não merecem suas lágrimas. As que ficam ao seu lado para reconfortá-lo quando você chora e ajudam a enxugar suas lágrimas são as que nunca o farão se sentir assim.

Objetivo: Faça o que puder para se cercar de pessoas que o confortam e ajudam a animá-lo em momentos difíceis.

6 de novembro

Devemos nos arrepender de nossos erros
e aprender com eles, mas nunca levá-los
conosco para o futuro.

— L. M. MONTGOMERY

Já sabemos que ninguém é perfeito, mas saber não nos impede de fazer coisas de que podemos nos arrepender depois. Descobri que em momentos como esse é melhor dizer a verdade e assumir seu erro. As pessoas são muito mais piedosas e solidárias quando você é honesto, porque se identificam. Melhor ainda, você as inspira a fazer o mesmo mostrando como é possível ser honesto e bonito sem ser perfeito.

Objetivo: Hoje, revele alguma coisa que fez ou disse, e que está te chateando.

7 de novembro

Sinceramente, você já foi sincero consigo mesmo?

— TERMINAL, "DARK"

Na vida, muitas vezes precisamos reavaliar nossa posição e nossos sentimentos. Eu me lembro de ouvir essa letra e pensar: "Uau, estou sendo eu mesma ou só tentando me encaixar no que a sociedade quer que eu seja?" É sempre bom se lembrar de ser fiel a quem você realmente é.

Objetivo: Descubra-se e não faça concessões em seus valores.

8 de novembro

Eu sonho com a pintura depois pinto meu sonho.

— VINCENT VAN GOGH

Seus sonhos são dádivas maravilhosas. Por toda a vida sonhei em ser artista. Queria cantar, dançar e atuar. Esses sonhos me permitiram buscar o que eu realmente queria. Agora que o realizei, fico feliz por estar onde estou.

Objetivo: Trabalhe duro para alcançar seus sonhos e objetivos. Só você pode torná-los realidade.

9 de novembro

Todos precisamos admirar alguém.

Até hoje ainda tenho meus altos e baixos, mas vivo um dia de cada vez. Só espero conseguir ser o melhor que posso ser, não apenas por mim, mas também pelos outros. Todos precisamos de influências encorajadoras na vida, e é importante nos cercar delas.

Objetivo: Quem admira você? Seja uma inspiração e uma boa influência ajudando os outros.

10 de novembro

Aceite que viver no momento presente,
com seus desejos atuais, é a melhor e mais elevada
atitude que você pode ter.

— DEEPAK CHOPRA

Tudo o que podemos fazer é viver um dia, um momento, de cada vez. Pensar demais em onde estávamos e para onde vamos só serve para nos tirar do caminho. O presente é tudo o que temos. Então, para honrar sua existência neste planeta, é importante se concentrar firmemente no momento que está vivendo.

Objetivo: Afaste sua mente do passado e do futuro. Viva o agora.

11 de novembro

Quando você escolhe aproveitar o processo, sua felicidade deixa de depender do resultado.

— YEHUDA BERG

Mesmo que você deseje muito um resultado específico, não fique obcecado. Os resultados são variáveis demais para ser exatamente o que queremos ou desejamos. Aproveite o processo e acredite que o resto vai acontecer como deve.

Objetivo: Pense em uma época na qual o processo de alcançar um objetivo foi melhor que o objetivo em si.

12 de novembro

Seja qual for sua prática ou paixão, você precisa exercitar a disciplina.

Não basta apenas amar alguma coisa se quiser desempenhá-la bem. Você precisa praticar todos os dias. Antes de me apresentar, entrar em turnê ou gravar no estúdio, tenho de praticar minha música e meu canto. Se eu aparecer despreparada no dia, não vou corresponder às altas expectativas que tenho para mim mesma.

Objetivo: Reserve um tempo da sua vida para praticar sua paixão. Faça o que for preciso para ir em direção aos seus sonhos.

13 de novembro

Quando chegar ao final da corda,
faça um nó e se agarre a ela.

— FRANKLIN D. ROOSEVELT

Quando parecer que não há nada que você possa fazer, aguente firme. Na hora certa, outra opção vai surgir e você saberá como agir. Nunca desista nem deixe para lá.

Objetivo: Tenha fé no amanhã mesmo quando não souber o que ele trará.

14 de novembro

Deixe sua consciência ser seu guia.

— *PINÓQUIO*

Sua consciência é o sentimento ou a voz interna que age como guia de seu comportamento. Ao longo dos anos, recebemos muitas lições de nossos pais, professores, amigos e colegas. No final das contas, só contamos com essas lições e com nossos instintos para saber o que é certo para nós.

Objetivo: Limpe sua mente e sua consciência, consertando seus erros — por menores que sejam.

15 de novembro

A vida fica mais divertida se você brincar.

— ROALD DAHL

Acima de tudo, acredito muito que somos colocados aqui nesta terra para desfrutar o tempo que temos. A vida é preciosa, então não se preocupe nem se torture por cada coisinha. Aproveite o momento presente e divirta-se do jeito que mais gostar.

Objetivo: Aproveite o tempo livre com a família e os amigos. Ria e crie lembranças.

16 de novembro

"Não" é uma frase inteira.

— ANÔNIMO

Dizer apenas "não" já basta. Ninguém mais sabe quais são seus limites. Se algo lhe parecer estranho ou errado, você precisa ouvir sua voz. Dizer sim ou não é o bastante; você não precisa se explicar. As pessoas que o cercam devem entender isso.

Objetivo: Não tenha medo de dizer não. Você não é obrigado a dar nenhuma resposta que não desejar.

17 de novembro

Nem todos os que vagam estão perdidos.

— J. R. R. TOLKIEN

Todo caminho que você segue o leva ao destino ao qual deve chegar. Seja um beco sem saída ou a luz no fim do túnel, saiba que você nunca esteve perdido. Só precisava aprender alguma coisa na jornada que estava fazendo

Objetivo: Não se preocupe se seu caminho não estiver claro neste momento. Isso não significa que você está à deriva, só que está fazendo uma jornada diferente.

18 de novembro

As garotas serão suas amigas — pelo menos vão agir como se fossem. Mas lembre-se, algumas vêm, algumas vão. As que passam por tudo a seu lado — essas são suas melhores amigas. Não as deixe para trás.

— MARILYN MONROE

As garotas podem ser muito duras umas com as duras. Passei por muito bullying e sofrimento por causa de meninas que implicavam comigo. Agora sei o que devo procurar em minhas amigas e também sei quando me afastar. Quando estou para baixo, tenho um dia difícil ou preciso de um ombro para chorar, minhas verdadeiras amigas aparecem.

Objetivo: Faça uma lista de suas amigas mais íntimas e ligue para elas para dizer quanto sua amizade, apoio e amor significam para você.

19 de novembro

Seja grato pelo que tem; você vai acabar tendo mais. Se ficar focado no que não tem, nunca, jamais, terá o suficiente.

— OPRAH WINFREY

Quando escolhemos nos concentrar no que temos, nos tornamos instantaneamente pessoas mais felizes. Dizem que a gratidão é a emoção mais próxima da felicidade. Até a pessoa mais rica do mundo pode pensar em coisas que não tem. O segredo não é acumular mais coisas, mas focar-se na alegria e na beleza de sua vida, dando valor ao que ela tem de grandioso.

Objetivo: Não ache que a felicidade é baseada em seus bens materiais. O importante é o amor que existe em sua vida hoje.

20 de novembro

O maior inimigo da clareza é a falta de sinceridade.

— GEORGE ORWELL

Uma das coisas que mais me irrita é ver pessoas não sendo sinceras umas com as outras. Elas sempre percebem quando você não está sendo sincero, e se não estiver sendo fiel a si mesmo, está apenas se enganando.

Objetivo: Só fale de forma genuína e cordial.

21 de novembro

A realização espiritual é entender que o que percebo, experimento, penso e sinto não é o que sou, que não me encontro em todas essas coisas que continuamente perecem.

— ECKHART TOLLE

As coisas que não conseguimos expressar ou entender são as mais verdadeiras e significativas. Além disso, existe algo belo e gratificante em não encontrar palavras para descrever adequadamente algo profundo. Nem sempre precisamos encontrar as palavras perfeitas.

Objetivo: Confie na capacidade dos seus sentimentos e seja grato por ter a profundidade de sentir coisas que nem sempre consegue expressar.

22 de novembro

Se escolho abençoar outra pessoa, sempre acabo me sentindo mais abençoada.

— MARIANNE WILLIAMSON

Quando estiver sentindo pena ou ódio de si mesmo, é sempre melhor fazer alguma coisa pelos outros para esquecer seus próprios assuntos. Quando somos crianças, não existe sensação melhor que abrir presentes de Natal ou de aniversário. Mas quando ficamos mais velhos, percebemos que o maior presente de todos é colocar um sorriso no rosto de outra pessoa.

Objetivo: Espalhe a alegria fazendo algo pelos outros.

23 de novembro

Você não vê quão necessário é um mundo de dor e sofrimento para disciplinar a inteligência e torná-la uma alma?

— JOHN KEATS

Estamos nesta terra para experimentar todas as emoções que existem. Elas nos dão força, coragem e caráter. Mudam quem somos hoje e que tipo de pessoa seremos no futuro.

Objetivo: Pense ou converse com pessoas que você admira e pergunte quais experiências moldaram a vida delas.

24 de novembro

Cuide de suas visões e de seus sonhos, pois eles são os filhos de sua alma, o projeto de suas maiores realizações.

— NAPOLEON HILL

Desde que eu era pequena sabia que queria cantar e me apresentar. O que não entendia bem quando era criança, e que agora sei, é que as visões e sonhos que comecei a ter tão nova estavam abrindo o caminho não apenas para meu sucesso, mas acima de tudo para minha felicidade. Sou muito grata por ter dado ouvidos àqueles sentimentos, sonhos e visões no começo da vida.

Objetivo: Independente da sua idade, nunca é tarde demais para viver a vida que você sempre sonhou.

25 de novembro

Não sou destemido. Sempre sinto medo.
Mas também aprendi a canalizar essa emoção,
e assim ficar mais atento.

— BEAR GRYLLS

Tudo o que o medo fez foi impedir meu progresso. Quero realizar muitas coisas na vida. Por mim e pelo mundo. O medo é inútil; só impede a realização de tudo.

Objetivo: Supere o medo hoje, e confronte uma de suas fobias.

26 de novembro

Não acho que ninguém possa lhe dar um conselho quando você está sofrendo.

— BRITNEY SPEARS

Não importa o que as pessoas lhe digam quando você está triste, só o tempo e a distância amenizam o sofrimento. Não podemos passar pela tristeza sem o amor de nossa família e nossos amigos, mas às vezes não há nada que eles possam fazer para nos alegrar. Existe uma diferença entre se sentir amparado e sentir que alguém está tentando consertar você. Então, quando seu coração ou o de outra pessoa estiver partido, lembre-se de que o mais importante é deixar as coisas seguirem seu rumo.

Objetivo: Ofereça seu ombro a um amigo ou familiar.

27 de novembro

A gentileza é a linguagem que os surdos conseguem ouvir e os cegos conseguem enxergar.

— MARK TWAIN

A gentileza transcende os limites da língua, da doença e da deficiência. É um dom universal que todos temos de dar e receber para que não se desperdice.

Objetivo: Seja gentil com um desconhecido hoje.

28 de novembro

A vida é curta demais para não sermos gratos por todos os momentos que vivemos. Hoje tenho muito a agradecer.

Às vezes é fácil se concentrar no que não temos. É imprescindível nos lembrar de ser gratos por tudo o que temos. Quando focamos em todas as coisas bonitas da vida, as atraímos em abundância e nos conectamos a muitas bênçãos. Às vezes quando acordo, ou antes de ir dormir, faço uma lista de tudo por que sou grata e, quando me dou conta, já enchi páginas e estou sorrindo e irradiando completa alegria.

Objetivo: Faça uma doação para uma instituição de caridade, ou doe seu tempo este mês para ajudar pessoas menos afortunadas que você.

29 de novembro

Todos foram feitos para algum tipo específico de trabalho, e o desejo de fazer esse trabalho foi colocado em cada coração.

— RUMI

Todos nos sentimos perdidos em um momento ou em outro. Às vezes, para realmente entender e saber para onde queremos ir, precisamos nos sentir perdidos. Independente do que esteja sentindo, lembre-se de que cada um de nós foi colocado aqui com um propósito e uma paixão. Nossa função é descobri-la e segui-la. Se você ainda não a descobriu, não se sinta mal. Confie que o universo vai revelar isso quando chegar a hora e nesse meio-tempo fique aberto e seja grato por tudo o que lhe acontecer.

Objetivo: Vagueie sem pressa quando se sentir perdido Mais cedo ou mais tarde, você decidirá que direção seguir.

30 de novembro

O amor é mais forte que a pressão
para ser perfeito.

Não se preocupe em ser perfeito. Use seu tempo e sua energia para viver oferecendo e recebendo amor. Ninguém vai se lembrar de você por suas imperfeições — e sim por sua gentileza, seu bom humor e sua compaixão.

Objetivo: Pare de tentar ser perfeito e comece a amar mais.

Dezembro

1 de dezembro

Como ficou tarde tão cedo?
É noite antes do entardecer. Dezembro chegou
antes de junho. Nossa, como o tempo voou.
Como ficou tarde tão cedo?

— DR. SEUSS

Sempre me sinto perplexa ao ver como o tempo passa rápido. Percebo que quanto mais velha eu fico, mais rápido ele passa. Quando somos crianças, cada dia parece uma eternidade. Isso me faz entender que precisamos aproveitar cada momento, seja grande ou pequeno, e cada pessoa que entra em nossa vida.

Objetivo: Não deixe o dia passar em branco — faça algo significativo por você ou por outra pessoa.

2 de dezembro

Só sobrou uma página para escrever.
Vou preenchê-la com palavras curtas.
Amo. Amei. Amarei.

— CASTELO DOS SONHOS

Você não precisa ser uma criança de 10 anos para fazer um diário sobre sua vida. Ter um registro dos acontecimentos de sua vida e do que sente em relação a eles é muito profundo; não só o ajuda a obter uma compreensão maior do que está acontecendo à sua volta, como é algo incrível para ver quando ficar mais velho. Sempre achamos que vamos nos lembrar de um determinado momento maravilhoso da vida, mas se não o escrevermos, provavelmente esqueceremos. Pense no quanto será valioso ler sobre sua vida nos próximos anos.

Objetivo: Comece algum tipo de diário para manter um registro de sua vida e seus sentimentos.

3 de dezembro

Você não conhece sua força até que ser forte
seja sua única opção.

— DESCONHECIDO

É nos momentos em que somos realmente testados que temos a chance de mostrar nosso valor. Quando isso acontece, o melhor que você pode fazer é aceitar o desafio e permitir que seu caráter se torne o mais forte possível.

Objetivo: Não se subestime quando uma situação difícil estiver em suas mãos. Orgulhe-se de sua força.

4 de dezembro

Posso mudar por causa das coisas que acontecem comigo. Mas me recuso a ser rebaixada por elas.

— MAYA ANGELOU

Toda experiência pela qual passamos existe para nos ensinar, para nos tornar mais humildes e nos ajudar a crescer. Não existe experiência ou pessoa nesta terra que deva nos diminuir. O que acontece na vida invariavelmente nos modifica — mas não se deixe abater. Se algum dia alguém diminuí-lo porque você está aprendendo ou crescendo, saiba que é um reflexo da insatisfação que essa pessoa sente.

Objetivo: Não deixe ninguém lhe dizer o que sentir.

5 de dezembro

Os olhos são a janela da alma.

— WILLIAM SHAKESPEARE

Detesto ver pessoas conversando sem se olhar nos olhos. Todos nós temos muito poder quando falamos de coração, mas se não olharmos verdadeiramente para os outros quando falamos, não conseguimos nos conectar com eles. Em geral, são os olhos que nos mostram como uma pessoa está se sentindo — não as palavras. A linguagem corporal também diz muito, então é importante ficar atento ao seu comportamento.

Objetivo: Sempre que falar com uma pessoa, olhe-a nos olhos e se conecte com ela. Ela vai respeitá-lo mais e você vai se respeitar mais.

6 de dezembro

Se estiver atravessando o inferno,
continue andando.

— WINSTON CHURCHILL

Todo mundo tem direito de passar por dias ruins — não leve para o lado pessoal. Nem toda a sabedoria e todos os conselhos do mundo nos isentam de um ocasional dia ruim. Se alguém não estiver com o melhor dos humores e for grosseiro com você, não é sua culpa. Deixe que essa pessoa se acalme. Todos temos dias assim. Faça uma pausa e relaxe. Vai passar.

Objetivo: Se você estiver atravessando um dia ruim, desconecte-se e relaxe. Tire um tempo para si mesmo.

7 de dezembro

Ninguém é perfeito e nem precisa ser.

Quando me dei conta disso pela primeira vez, senti um imenso alívio. Essa percepção permitiu que eu me tornasse uma pessoa melhor. Ela me deu força para aceitar meus defeitos e aprender com meus erros. A pressão acabou. Eu não teria conseguido começar a examinar meus erros se achasse que precisava ser perfeita. Quando descobri que podia ser imperfeita, tudo mudou para melhor.

Objetivo: Não se critique por cometer erros — só fique atento para não cometer o mesmo erro duas vezes.

8 de dezembro

Pinto autorretratos porque passo muito tempo sozinha, porque sou a pessoa que conheço melhor.

— FRIDA KAHLO

Tudo o que podemos fazer é ser autênticos em relação a nossa identidade, honrar as partes mais profundas e verdadeiras de nós mesmos. Em muitos momentos da vida, a única coisa que me reconfortou foi a música. Saber que podia ficar sozinha no meu quarto e criar uma música para expressar meus sentimentos me trouxe muito conforto e me ensinou a amar a solidão. Encorajo cada um de vocês a encontrar o mesmo e cultivá-lo todos os dias.

Objetivo: Deixe a coisa que mais ama se tornar seu protetor e seu melhor amigo.

9 de dezembro

Agora sou uma guerreira, sou mais resistente,
Sou uma guerreira, sou mais forte do que nunca,
E minha armadura é de aço,
você não consegue passar,
Sou uma guerreira e você nunca mais
vai me machucar.

Quando escrevi essa letra, tinha algo específico em mente, mas ela pode ser aplicada a qualquer um que já tenha precisado atravessar algo doloroso. Essa música e sua mensagem são muito importantes para mim porque conheci muita gente que passou por todos os tipos de trauma na vida e tinha vergonha ou medo de se defender. Escrevi essa música para inspirar pessoas de todas as idades a saber que não estão sozinhas e que sempre existe ajuda.

Seja o que for que você esteja enfrentando, *vai* melhorar.

Objetivo: Todos temos ferimentos de batalha. A única maneira de se proteger é mostrar às pessoas sua força se resguardando e se amando.

10 de dezembro

Entenda que do mesmo jeito que é complicado simplificar as coisas, também é simples complicá-las.

É normal analisarmos e complicarmos demais praticamente tudo. Em geral levamos uma vida complexa, e pode parecer que as soluções são inalcançáveis. Dizem que a reposta mais simples é a correta, então quando estou sobrecarregada, lembro-me dessa profunda noção de simplicidade. Quando não souber o que fazer, simplifique a bagunça da sua cabeça.

Objetivo: Imagine que seu problema é um nó cego e se visualize desfazendo-o.

11 de dezembro

Julgar uma pessoa não define quem ela é.
Define quem você é.

— DESCONHECIDO

Enfrentei e fiz muitas coisas que poderiam facilmente ser julgadas. Eu não tenho vontade de julgar ninguém pelo caminho que está seguindo; simplesmente não é minha função criticar a jornada de outra pessoa. Nem é a função de ninguém criticar a minha.

Objetivo: Não julgue os outros. Pense em como você quer ser tratado.

12 de dezembro

Não existem estranhos aqui; apenas amigos
que ainda não se conheceram.

— W. B. YEATS

Vivemos em uma comunidade global que se expande mais a cada dia com os rápidos avanços das mídias sociais. É maravilhoso acordar e ler mensagens encorajadoras dos meus fãs no Twitter e no Facebook e saber que tenho amigos e gente que me apoia aonde quer que eu vá. O mais maravilhoso é que isso vale para todos nós. Quando começamos a ver o mundo como um lugar amistoso que nos estimula e apoia, o universo se abre para nós e as possibilidades se tornam infinitas.

Objetivo: Esteja aberto para fazer novos amigos hoje.

13 de dezembro

Se as coisas fossem fáceis de encontrar,
não valeria a pena achá-las.

— *TÃO FORTE E TÃO PERTO*

Eu me sinto abençoada por sempre ter sabido o que queria fazer da vida. Mas conheço muitas pessoas que ainda estão descobrindo suas vontades. Desde que você se mantenha aberto e continue seguindo seus sonhos — mesmo que não estejam muito claros — vai encontrar essa resposta dentro de si mesmo.

Objetivo: Você está fazendo o que sempre quis? Se não, não existe hora melhor que o agora — comece neste momento.

14 de dezembro

Sempre perdoe seus inimigos;
nada os deixa mais irritados.

— OSCAR WILDE

O perdão pode parecer dificílimo, especialmente quando você está muito magoado com alguém. Mas perdoar as pessoas é uma atitude superior. Quando você fica obcecado por algo que alguém fez contra você, cria toxicidade por ficar preso a algo que a pessoa já deve até ter esquecido. Mate-os de gentileza. Quando eu sofria bullying, minha mãe sempre me dizia para dar a outra face. Quando tive idade bastante para entender essa frase, pude agir de acordo. E isso me ajudou a superar o ressentimento.

Objetivo: Perdoe alguém com quem está zangado e se liberte do ressentimento.

15 de dezembro

A paciência é amarga, mas seu fruto é doce.

— JEAN-JACQUES ROUSSEAU

Ter paciência pode ser muito difícil, seja com pessoas com quem você convive ou quando você quer muito conseguir algo na vida e está esperando há um tempão. Às vezes as pessoas precisam esperar anos ou até mais, antes de conseguir aquilo pelo que estão trabalhando. Confie que as coisas chegarão até você se tiver de ser, e saiba que quando é realmente paciente as recompensas são melhores do que você pode imaginar.

Objetivo: Seja paciente com aqueles que o cercam, com seus sonhos e, acima de tudo, consigo mesmo.

16 de dezembro

Violência só gera mais violência. Todos nós precisamos ser guerreiros pacíficos.

A violência é um ciclo interminável. É muito mais fácil responder fogo com fogo, mas é algo vão, um risco inútil. É preciso muito mais energia, reflexão, criatividade e coragem para se dispor a conversar com alguém que não concorda com você. É possível chegar a um ponto de tolerância e respeito sem concordar. Todos precisamos estar dispostos a nos comunicar e respeitar uns aos outros mesmo quando discordamos.

Objetivo: Resista à violência, exija respeito e uma comunicação aberta. Disponha-se a enxergar alguma coisa através de uma ótica diferente. Disponha-se a ver o lado do outro.

17 de dezembro

Você não será punido por causa da sua raiva,
você será punido por sua raiva.

— BUDA

Raiva e ressentimento são as duas das emoções mais tóxicas que podemos sentir. Às vezes as pessoas nos enfurecem ou nos magoam, mas não as confrontamos. Pelo contrário, deixamos esses sentimentos negativos crescerem desenfreadamente dentro de nós. Antes de nos darmos conta, eles nos dominaram como heras, esgueirando-se por cada célula e órgão do nosso corpo. Nunca devemos deixar os problemas de outra pessoa nos derrubarem.

Objetivo: Quando alguém fizer alguma coisa que o magoa, não guarde rancor; confronte a pessoa e faça o melhor que puder para deixar o problema para trás.

18 de dezembro

Pegue minha mão, vamos fazer um acordo.

— THE FORMAT, "THE COMPROMISE"

Relacionamentos envolvem duas pessoas, o que significa que não bastam apenas suas opiniões e ideias para um relacionamento dar certo. Você precisa dar espaço para o outro também se expressar. Isso não significa que você precisa concordar com tudo, porque isso não vai acontecer, e é natural. Mas se não conseguir encontrar um meio-termo e um acordo, vai acabar sozinho.

Objetivo: Converse com seus amigos, família e colegas de trabalho para chegar a um acordo quando encontrarem obstáculos.

19 de dezembro

Faça o que puder, com o que tiver, onde estiver.

— THEODORE ROOSEVELT

Todos nós merecemos respeito e sinceridade. Mas tenho muitas amigas que toleram caras que não as tratam do jeito que elas merecem. Eles fazem promessas que não podem cumprir e não são claros sobre suas verdadeiras intenções. Uma amiga minha saiu com um cara por mais de um mês, e desde o começo ela disse que gostava muito dele e que queria um namorado, não um casinho. Mas ele não se comprometeu com ela; ele não definiu as coisas. Ela dizia acreditar que podia mudá-lo e fazê-lo se apaixonar por ela se eles passassem um pouco mais de tempo juntos. Claro que ela nunca o mudou. Ele mostrou quem era desde o começo, mas ela ignorou os sinais porque esperava mais.

Objetivo: Quando alguém não quiser ou não puder se comprometer com alguma coisa, não force. Aceite ou se afaste.

20 de dezembro

Deixe nas mãos de Deus [*Let go and let God*].

— ANÔNIMO

Quando estiver combatendo algo maior que você e todo o resto fracassar, entregue seus problemas a algo também maior do que você. Não importa se acredita em Deus, Alá ou no poder do universo, cada pessoa possui e é cercada por um poder maior. Perceber e aceitar que você não está no controle de tudo na vida é muito libertador e pode gerar acontecimentos poderosos.

Objetivo: Pense nas coisas a que você está se apegando, respire e depois entregue-as a seu poder superior.

21 de dezembro

Seu telefone não tem a resposta para sua felicidade — você tem.

Todos nós passamos tanto tempo no celular que ele podia ser colado ao nosso corpo. Não estou criticando, porque tenho o mesmo problema, mas recentemente comecei a resistir à vontade de pegar o telefone. Vejo que o estou usando como distração para ignorar meus pensamentos quando deveria aceitá-los.

Objetivo: Largue seu telefone hoje. Quando sentir vontade de jogar, olhar fotos ou ler mensagens antigas, respire fundo e encontre algo ou alguém bonito à sua volta para admirar.

22 de dezembro

Protelar é como ter um cartão de crédito: muito divertido até chegar a conta.

— CHRISTOPHER PARKER

Todo mundo sabe que não deve protelar as coisas, mas todos nós fazemos isso de vez em quando. Quanto mais coisas você adia, mais elas vão se acumular e deixá-lo sem controle e estressado.

Objetivo: Administre e priorize seu tempo e suas tarefas.

23 de dezembro

A fé não existe sem a dúvida.

— DESCONHECIDO

Ouvi meu pastor dizer isso em um sermão e fiquei muito tocada pela mensagem e beleza dessa frase. Todos nós temos momentos de dúvida, nos quais questionamos por que estamos aqui e se estamos fazendo a coisa certa. É natural questionar sua jornada, isso indica interesse e sensatez. Se você não tivesse dúvida alguma, não haveria nada em que ter fé.

Objetivo: Admita suas dúvidas e medite para descobrir por que está se sentindo assim.

24 de dezembro

Pense abundantemente e receberá abundância.

Permita-se pensar em tudo o que deseja para sua vida. Se alguma coisa lhe vier à cabeça e você achar que é exagerada ou que não a quer, permita que aquele pensamento vá embora tão rápido quanto chegou.

Objetivo: Faça uma lista de desejos, resoluções e esperanças para o ano que vem.

25 de dezembro

A família nos dá força para construirmos nosso caráter.

Eu não teria conseguido enfrentar tudo o que enfrentei sem o amor, a fé e o apoio da minha família. Fico feliz só por estar perto deles e esqueço qualquer problema ou medo que tenha. Eles me aceitam com todos os meus defeitos, e eu os aceito também, seja como for.

Objetivo: Absorva o amor da sua família hoje. Ame-os por tudo o que são, e também pelo que não são.

26 de dezembro

Você pode andar devagar, desde que não pare.

— CONFÚCIO

A velocidade é relativa. Algumas pessoas são mais rápidas e outras, mais lentas. Não quer dizer que você produza mais de um jeito ou de outro; tudo o que importa é continuar em frente. Aconteça o que acontecer.

Objetivo: Desacelere o passo hoje, começando na hora em que abrir os olhos até fechá-los, e durante todo o tempo entre esses dois momentos.

27 de dezembro

Permaneça forte [*Stay strong*].

Cada um de nós tem alguma dificuldade nesta vida. Percebi que não importa onde eu esteja, existe um propósito maior; uso minha voz e inspiro as pessoas, ajudo-as a enfrentar seus problemas e a animá-las quando estão para baixo. Só consigo viver cada dia por causa dos meus fãs, que me inspiram a fazer o que faço e a ser forte todo santo dia.

Objetivo: Seja forte por si mesmo, e se puder, encontre um meio de ser forte por outra pessoa.

28 de dezembro

Quando seus problemas são maiores que você, é importante pedir ajuda.

Às vezes nos sentimos oprimidos e até envergonhados pelos nossos problemas. Antes de começar o tratamento para bulimia e automutilação, eu me escondida de todo mundo, inclusive de mim. Tinha medo de pedir ajuda e me sentia tão profundamente envergonhada em relação ao que estava fazendo que achei que aquilo nunca ia acabar. Se você ou alguém que você conhece estiver sofrendo ou tendo alguma dificuldade, é muito importante obter ajuda. Você pode salvar sua própria vida ou a de alguém que ama.

Objetivo: Não se esconda de si mesmo e dos outros. Procure ajuda.

29 de dezembro

O bom da chuva é que ela sempre para.
Eventualmente.

— BISONHO

Períodos difíceis são inevitáveis. Eles começam quando menos esperamos — quando simplesmente não estamos prontos. Mas é importante se reconfortar com o fato de que eles não podem nem vão durar para sempre.

Objetivo: Conforme avança, lembre-se de que está ficando mais forte a cada desafio que enfrenta.

30 de dezembro

Cara, quando você perde seu riso,
perde o chão.

— KEN KESEY

Em certos momentos você vai sentir que cada passo do caminho é um golpe. Luto, depressão, términos e muito mais. É importante manter o senso de humor. Você precisa se lembrar de rir dessas coisas, ou elas passam a controlá-lo. O riso ajuda a ver a luz nos momentos mais sombrios. É mais poderoso do que você imagina.

Objetivo: Mesmo nos piores momentos, mantenha o senso de humor e use-o a seu favor.

31 de dezembro

E agora damos boas-vindas ao novo ano,
cheio de coisas que nunca existiram.

— RAINER MARIA RILKE

Reserve um tempo para reavaliar o ano que passou. Pense em como você cresceu, no quanto mudou, no que gostaria de continuar fazendo e do que quer se afastar. Acho os últimos dias do ano tão cheios energia e possibilidades de mudança, que a melhor coisa que podemos fazer é sentar e refletir.

Objetivo: Faça uma lista de tudo o que você realizou este ano.

Agradecimentos

Obrigada a todos da CAST Recovery, Philymack, Inc., Derris and Company, Macmillan, CAA, Hertz, Lichtenstein & Young, the Nordlinger Group, e todas as outras pessoas da minha equipe. Um agradecimento especial a Anna Roberto, Jean Feiwel e Rachel Fleischer. Muito amor e gratidão pelo apoio dos meus maravilhosos amigos e família... vocês sabem quem vocês são!

Este livro foi composto na tipologia Minion Pro,
em corpo 10,5/16, e impresso em papel offwhite
no Sistema Cameron da Divisão Gráfica
da Distribuidora Record.